ALMOST OVER YOU

Una ragazza fuori moda

Barbara Morgan

Ghostly Whisper

coinvolgere da un sentimento autentico, senza partecipazione né trasporto emotivo. Nulla. Per me erano solo parole da mettere in fila una dietro l'altra. Stavano bene tra di loro, erano appropriate, erano dolci. Erano parole d'amore dettate dal cuore. Ma quel cuore non era mai il mio.

Una delle poche informazioni che il resto del mondo possedeva sulla mia città era che la scrittrice Jane Austen l'aveva attraversata trattenendosi per qualche anno e proprio a Bath aveva ambientato alcuni dei suoi romanzi. Poi era probabile che qualcuno conoscesse qualcosa a proposito della storia della città e delle sorgenti termali che l'avevano resa il luogo di villeggiatura ideale per la nobiltà inglese.

Ma tutto questo aveva ben poco a che fare con me, Bonnie Meisel, che a Bath ero nata e cresciuta. Vivevo in una zona residenziale con i miei professionalmente impegnatissimi genitori e con mio fratello minore Eddie, un ragazzino la cui inventiva nell'infastidire il prossimo in generale e me in particolare non conosceva limiti.

Me ne stavo per lo più chiusa nella mia stanza. La scusa era quasi sempre lo studio. La verità erano le lettere. Posso tranquillamente affermare che curavo la corrispondenza, prevalentemente sentimentale, di tutta la scuola. In effetti sarebbe potuto diventare il mio lavoro, mi sarei guadagnata da vivere senza eccessivo impegno. Mi veniva naturale scrivere lettere d'amore ai ragazzi più carini della scuola. No, la mia vita sentimentale non era affatto attiva. Tutt'altro, era inesistente. Le lettere non erano mai da parte mia perché il sentimento per me era del tutto fittizio.

A volte, per divagare, mi dedicavo ai diari. Al mio riservavo scarsa attenzione, avevo giornate talmente poco interessanti che il mio diario, se avesse avuto una vita propria, si sarebbe suicidato piuttosto che occuparsi delle mie vicende quotidiane. Quelli che scrivevo erano i diari di personaggi immaginari che avevano una vita socialmente attiva e degna di essere raccontata. "Popolari", proprio come si potevano definire alcuni studenti del mio liceo.

Era iniziato tutto con una semplice richiesta di aiuto da parte di Stephanie, quando eravamo ancora alle medie. Stephanie Lindbergh, figlia di amici dei miei genitori, biondissima, bellissima, popolarissima. Da sempre reginetta della scuola. A dodici anni le avevo scritto su commissione un bigliettino per un ragazzino del terzo anno con cui insisteva per fidanzarsi a tutti i costi. Ci era riuscita, nonostante lui si fosse dimostrato particolarmente ostinato. Il bigliettino scritto da me, accompagnato da tanti cuoricini colorati disegnati a matita, era riuscito a rompere il ghiaccio e il giovane inconsapevole era capitolato al fascino di Stephanie e alle mie parole ammiccanti.

Quindi ciò che facevo e che mi risultava più semplice per cercare di superare questa fase della mia vita, era continuare a scrivere. Le lettere, i diari, qualche articolo per il giornale della scuola. Ero in costante allenamento, un po' come i giocatori di calcio o i ragazzi della squadra di atletica. Mi allenavo per mantenermi in forma, senza sapere esattamente per quale tipo di competizione. Non sapevo nemmeno io perché continuassi a scrivere così ostinatamente, disperatamente quasi. Ma lo facevo forse sperando di arrivare presto da qualche parte, oltrepassando quel mio presente nebuloso. Forse sperando che così quei miei anni malefici sarebbero trascorsi più in fretta e io sarei approdata velocemente a un'altra età, a un futuro in cui avrei percepito la mia vita come degna di essere vissuta, con un senso e un sentiero ben preciso. Il liceo sarebbe finito presto. E io sarei diventata finalmente parte di qualcosa.

CAPITOLO 3

«Ecco il tuo articolo.»

Così dicendo consegnai i miei fogli battuti a macchina nelle mani ansiose di Stuart Sminer, il redattore capo del giornale scolastico. Mi aveva assegnato un articolo sulle attrattive della città. Avevo buttato giù qualche pagina rovistando e rimestando parole estratte dalle riviste dell'agenzia dei miei, un po' di storia, un po' di folclore locale, un po' di cultura e infine avevo tirato in ballo la cara Jane. Il fascino degli scrittori attirava sempre.

Stuart apparteneva al gruppo degli sfigati. Anzi, si potrebbe dire che ne era uno dei capostipiti, dei fondatori. Lo sfigato per eccellenza, l'esemplare perfetto. Magrissimo, occhiali spessi un dito, capelli neri che andavano in tutte le direzioni sbagliate. E per completare il quadro un'acne impietosa disseminata sulla fronte, sul naso e sul mento. Cercava di darsi un tono e di attirare l'attenzione infarcendo i suoi discorsi di paroloni, utilizzando un linguaggio forbito assurdo per un diciassettenne e indossando l'aria un po' snob da intellettuale incompreso. Ma non ci riusciva. Anche

CAPITOLO 4

Quando Steph me ne aveva parlato non credevo che la faccenda fosse così seria. Invece quella in atto a scuola in quei primi giorni di maggio era una vera e propria lotta. O meglio, una guerra senza esclusione di colpi tra Steph e Lesley per la conquista del meraviglioso e inarrivabile Clayton Stone.

La mia impressione era che si trattasse più di una questione di principio che di grande amore. Forse da parte di Stephanie non era nemmeno un autentico interesse ma detestava Lesley Walker dal primo anno e quindi sottrarle Clayton sarebbe stata la vendetta ideale contro colei che le contendeva il primato di più carina e popolare della scuola. C'era anche da ammettere, in difesa di Steph, che la rossa e provocante Lesley se l'era proprio cercata lanciandole una sfida a cui un tipo orgoglioso come Stephanie non avrebbe resistito.

«Davvero molto romantico!» Cercavo di attirare l'attenzione di Stephanie mentre sostavamo di fronte al campo di calcio dove Clayton e gli altri ragazzi della squadra si allenavano quotidianamente. Io ero quasi certa che tra Steph e Lesley lui avrebbe scelto la vittoria del campionato di calcio.

«Quell'uomo presto sarà mio! Lo vedrai, ci potrei scommettere un occhio...» Stephanie puntò il dito su di lui e lo seguì per qualche istante nel corso dei suoi spostamenti in campo.

«Stai attenta a non perderlo, ti potrebbe servire. L'occhio, intendo.»

Stephanie arricciò il naso e rise, prima di tornare a concentrarsi sulla preda. Fissava Clayton Stone socchiudendo gli occhi azzurri e corrugando la fronte, come se gli stesse scagliando addosso un incantesimo mentre lui inconsapevole continuava a correre dietro al pallone. «E comunque... da quando credi nel romanticismo, Bon? Proprio tu che non sei mai stata davvero innamorata!»

Ecco che rigirava la storia contro di me buttandomi addosso parole contro cui le mie argomentazioni sarebbero state troppo deboli. Situazione spinosa e imbarazzante da cui avrei desiderato uscire immediatamente, un discorso che non avevo voglia di affrontare nemmeno con lei. Anzi, soprattutto con lei. Perché tra noi due ogni confronto era sempre stato inutile.

Questa volta l'aiuto mi venne da Anthony Page, che conservava ancora il titolo di ragazzo ufficiale di Stephanie. Il suo intervento fu provvidenziale perché la trascinò via con sé prendendola per mano. Steph dopo aver opposto una debole resistenza lo seguì con espressione scontenta e profondamente insoddisfatta. Non la capivo. Aveva ottenuto Anthony, carino e sufficientemente intelligente per essere un atleta, non le bastava? In realtà non comprendevo questo atteggiamento tipico delle ragazze popolari, questa smania di essere sempre la prima, sempre la più alla moda, sempre la più corteggiata e sempre la prescelta. La più bella tra le belle. La regina sempre in cerca di conferme.

Stephanie, allontanandosi qualche minuto prima, si perse lo spettacolo di Lesley Walker che si strusciava contro il corpo muscoloso e sudato di Clayton Stone appena terminati gli allenamenti. E di lui che, attirandola per i fianchi, la cingeva a sé baciandola e al contempo palpandole indecentemente il sedere come se intorno non avessero nessun altro. Steph, buon per lei perché si sarebbe infuriata e di conseguenza accanita ancora di più, rischiava seriamente di mettersi in un guaio con quello lì. E io non ero certa di avere il potere di convincerla a desistere.

CAPITOLO 5

Non sapevo come accogliere la notizia. Non mi lasciava in realtà né entusiasta né sconvolta. L'avevo semplicemente accettata come un fatto inevitabile. I miei genitori avevano stabilito di accompagnare un gruppo di turisti in viaggio alla scoperta delle meraviglie delle isole greche. Al contempo avevano preso contatti con nuovi hotel di lusso da visitare con cui avrebbero probabilmente stabilito un accordo e firmato un contratto.

In quanto a me e Eddie la nostra destinazione era decisa e completamente diversa dalla loro. Ci avrebbero rifilati dai nonni materni a Bournemouth per tutta la durata delle vacanze estive. La scelta non mi sconvolgeva perché comunque a casa o dai nonni la mia esistenza non sarebbe cambiata. Non ci trascorrevo l'estate da alcuni anni, le estati precedenti mamma e papà ci avevano portati con loro anche se per un breve periodo. E i nonni erano venuti a trovarci a Bath, quindi i miei ricordi di Bournemouth risalivano a quattro o cinque anni prima.

La vera e assoluta novità era che Steph sarebbe venuta con noi. I suoi stavano per separarsi, mi aveva spiegato mamma senza dilungarsi nei dettagli. Quindi

23

avevo dedotto che sarebbero riusciti a separarsi meglio senza lei intorno. Mi chiedevo se Steph ne fosse al corrente. Se lo era dal suo comportamento non lasciava trasparire nulla. In ogni caso non sarei stata io a darle la notizia, anche se averlo saputo mi aveva messa in una posizione di imbarazzo nei suoi confronti.

Forse anche per questo motivo avevo ceduto e l'avevo accontentata. O probabilmente, trattandosi di Steph, avrei ceduto comunque prima o poi e quella della separazione dei suoi era solo una scusa che mi raccontavo per sentirmi meno stupida e incoerente. Avevo scritto un bigliettino a Clayton Stone, anche se non riuscivo proprio a immaginarmi come quel tipo dall'aria strafottente e audace potesse aprirlo, leggerlo e intenerirsi alle mie parole. In realtà il solo pensiero di lui con il mio bigliettino tra le mani mi dava l'orticaria.

Comunque, un'attrazione nei confronti di Stephanie l'aveva dimostrata anche prima del biglietto. Va bene, dimostrava attrazione per la maggior parte delle ragazze popolari della scuola, ma era un dettaglio. Che Clayton Stone fosse una sorta di assatanato smanioso era evidente agli occhi di tutti. Forse non di tutti ma ai miei sicuramente.

Così era accaduto. Steph si era poco alla volta intromessa nell'instabile relazione tra Lesley e Clayton e aveva vinto la sfida sottraendolo alla rivale. Probabile anche che lui avesse ormai ottenuto tutto ciò che era possibile ottenere da Lesley e fosse interessato alla novità. Che spregevole esemplare di maschio senza cervello! Ma mi ero trattenuta dal manifestare a Steph le mie opinioni nei confronti del suo nuovo ragazzo.

Quando Stephanie era riuscita a farsi invitare al ballo di fine anno da Clayton la sconfitta di Lesley era ormai palese. L'unico per cui mi era davvero dispiaciuto in questa storia era quel poveretto di Anthony. Non mi aveva mai dimostrato particolare simpatia ma non meritava di essere mollato su due piedi. Anche se i segnali di abbandono erano stati evidenti per mesi.

Forse la mia "solidarietà" nei suoi confronti aveva dato un esito imprevedibile. Perché accadde proprio l'ultima cosa che mi sarei aspettata e che era allo stesso tempo anche l'ultima che avrei desiderato. Un invito da parte di Anthony Page al ballo di fine anno. A me. Tra tutte le ragazze che poteva avere proprio a me! La presi inizialmente come una sorta di vendetta nei confronti di Stephanie, anche se mi sembrava abbastanza assurda come idea. Se lo scopo era farla ingelosire e tornare da lui aveva davvero scelto la persona sbagliata.

In ogni caso avevo rifiutato. La prima volta che me lo aveva proposto, dopo la lezione nel laboratorio di scienze, credevo scherzasse. Si era riproposto il giorno dopo assumendo un atteggiamento più serio e deciso. Insomma, era un bel ragazzo. Gran sorriso, denti bianchissimi e perfetti, occhi scuri. Ma no. Era l'ex ragazzo di una mia amica. Dell'unica amica che avevo, in realtà. Non ci sarei mai uscita, soprattutto in occasione di un ballo scolastico di fine anno. Ma nemmeno per andare a prendere un gelato.

Per finire mi aveva telefonato a casa, il giorno stesso del ballo. Non riuscivo a comprendere né a spiegarmi perché fosse così insistente.

«Digli che sono sotto la doccia...» Sotto la doccia? No, pessima idea. «Anzi, digli che sto già dormendo! Tanto al ballo non ci vado né sola né accompagnata!» Molto meglio.

«Perché non vuoi uscire con questo ragazzo? Sembra tanto carino, educato...»

No. Non ci sarei mai uscita e non lo avrei mai perdonato per avermi messa nelle condizioni di dover dare spiegazioni alle insistenze di mia madre.

«Era il ragazzo di Stephanie fino a poco tempo fa. Non ci penso proprio. Mai e poi mai, nemmeno in un altro universo, nemmeno tra cent'anni.» Chiuso il discorso. «Digli che dormo e basta!»

Lo stava facendo sicuramente per vendetta nei confronti della mia amica. O peggio... per vendetta contro di me! Ecco, svelato il mistero. Anthony voleva farmela pagare per aver scritto il malefico bigliettino che aveva congiunto i destini di Steph e Clayton. Magari invitarmi al ballo faceva parte di un piano diabolico per distruggermi psicologicamente di fronte a tutti!

«Ma se non sta più con Stephanie…» Mia madre aveva trovato l'occasione adatta per accanirsi ancora di più contro la mia inesistente vita sociale. Sembrava sguazzare in questi problemi sentimentali adolescenziali, senza dubbio più di me che adolescente lo ero davvero.

«Insomma, non mi piace!» Ecco, questo era in parte vero. «Anzi, sai una cosa Carol? Vado davvero a dormire adesso, così non sarai nemmeno costretta a mentire!»

La verità, nella sua totalità, era un'altra. Non aveva importanza se Anthony Page mi piacesse o meno. Era stato insieme a Stephanie, quindi per me non sarebbe mai esistito come uomo. Nemmeno in un altro universo, nemmeno tra cent'anni. E poi, fattore ancora più importante, io ero completamente al di fuori da certi circuiti, da certi meccanismi. Uscire insieme, avere un ragazzo, andare a una festa o a un ballo. No, tutto questo non aveva nulla a che fare con me. Io queste storie, queste esperienze le vivevo solo di riflesso. E mi andava bene così. Non avevo idea se qualcosa sarebbe cambiato prima o poi e forse nemmeno lo volevo sapere.

L'unica cosa veramente chiara in quel momento era che Anthony Page non mi interessava e non sarei uscita con lui. Non vivevo nella smania di possesso e conquista come le altre. Forse non vivevo affatto. Il mio tempo, la mia età, l'essere alla moda e attrarre i ragazzi, tutto ciò che avrei dovuto desiderare mi erano totalmente estranei, non me ne sentivo parte.

Restavo come sospesa in un limbo, tra lunghe lettere scritte a nessuno, queste realmente da parte mia, e diari che contenevano idee e giornate inesistenti, che mi inventavo parola dopo parola. Verità e finzione amalgamate insieme mi racchiudevano come in un bozzolo protettivo da cui non desideravo uscire. Non per diventare farfalla e rischiare di essere delusa e ferita. Nessuna emozione, nessun dolore. Era questa la mia scelta.

CAPITOLO 6

Il viaggio sarebbe durato solo due ore o poco più. Ma trovarmi sul sedile posteriore dell'auto dei miei compressa tra Steph e Eddie non era entusiasmante. E stava iniziando anche a fare più caldo del solito rispetto alla media del periodo. Ero stata costretta a togliere il mio fedelissimo maglione nero.

«Ci fermiamo? Devo andare in bagno!» Eddie aveva deciso di rompere le scatole e dare a tutti il tormento.

«Ci sei già andato mezz'ora fa, Eddie.» Mio padre ormai rispondeva automaticamente, continuando a guidare.

Già qualche giorno prima della partenza avevo sospettato che, per qualche ignoto motivo, Eddie non avesse nessuna intenzione di andare a Bournemouth. In seguito avevo intuito qualcosa a proposito di una lamentela riguardo gli allenamenti estivi per entrare come titolare nella squadra di calcio della sua scuola e che partendo sarebbe stato costretto a saltare. Oltre alla richiesta di iscriverlo a non so più quali altri allenamenti supplementari a settembre.

«Mi viene da vomitare allora! Devo scendere e prendere un po' d'aria.» Ecco, dopo la fame e il bagno era arrivata un'altra scusa. Non capiva che ormai la nostra estate era condannata. Ritardare non sarebbe servito a niente. «Se non ci fermiamo vomito addosso a Bon!»

Lo scansai irritata con mani e piedi spingendolo contro la portiera della macchina. Sarebbe stato capace di farlo davvero, lo stronzetto. Voleva far pesare la sua rinuncia per ottenere poi quello che desiderava, il piccolo viscido manipolatore.

«Fermati Ron, altrimenti tuo figlio non ci darà pace!» Mamma si voltò verso di noi e sbuffò spazientita. Quando Eddie diventava insopportabile o io ero troppo ostinata magicamente diventavamo figli soltanto di nostro padre.

Stephanie invece se ne stava stranamente rintanata nel suo angolo. Guardava fuori dal finestrino in silenzio. Probabilmente era a conoscenza di tutto. Approfittai della nuova sosta di papà per far scendere quel rompiscatole di mio fratello. Mentre anche i miei erano scesi dalla macchina decisi di affrontare il discorso.

«Non guardarmi così, sono giorni che hai quell'espressione di commiserazione, Bonnie.» Stephanie mi precedette, con un sospiro profondo si girò verso di me passandosi le dita tra i capelli biondi.

«Io non sapevo se tu...» Mi morsi le labbra in cerca di qualcosa da dire.

Mi sentivo una sciocca, avrei dovuto parlarle dei problemi reali invece di perdermi in quel suo assurdo tentativo di conquista di Clayton Stone. Forse era stato solo un modo di attirare l'attenzione e io non avevo capito.

«Lo so da sempre, Bon. Me lo aspettavo da tanto tempo, sapevo che prima o poi sarebbe accaduto. Quello che mi infastidisce è che mi abbiano rifilata alla tua famiglia come un pacco. E credono anche di alleggerirsi la coscienza mandandomi in vacanza con te dai tuoi nonni.»

L'espressione insofferente di Steph era molto simile a quella di Eddie. Fantastico, nessuno dei due era entusiasta di trascorrere le vacanze estive insieme a me. Almeno io non esprimevo così chiaramente la mia insoddisfazione.

«Mi dispiace, Steph. Davvero...» Cercai di fornirle una sorta di sostegno morale anche se temevo di non esserne in grado.

«Non provare pena per me, Bon. Non è davvero il caso.» Steph si rigirò ancora di più verso di me attirandosi un ginocchio al petto. «È estate. Andiamo al mare. Cosa può esserci di meglio? Prova un po' a indovinare...» Ridacchiò cercando di stirarsi e di sistemarsi lo scollo della camicetta.

«Al momento non mi viene in mente nulla...» sospirai stringendomi nelle spalle.

Forse sarebbe stata una buona idea anche per noi scendere un po' nella campagna inglese a sgranchirci le gambe. Feci un cenno a Stephanie che però mi trattenne per il braccio.

«Clayton ha promesso di venire a trovarmi fra qualche giorno a Bournemouth. Avrà un passaggio da certi suoi amici…»

Clayton Stone in vacanza con noi a Bournemouth? Dai miei nonni? Se questa era la sua idea di "meglio" avrei preferito continuare a sopravvivere nell'incoscienza.

CAPITOLO 7

Mi ero illusa che non ci fosse niente di peggio del viaggio che in teoria sarebbe dovuto durare poco più di due ore e invece per colpa di Eddie era stato infinito. Poi però c'era stato l'arrivo, traumatico. La macchina parcheggiata nel vialetto di fronte a casa, bagagli da scaricare, genitori nevrotici per il ritardo, nonni preoccupati per lo stesso motivo, fratello pigro e lamentoso. Stephanie che si guardava intorno come a studiare la zona. E io che già mi immaginavo inorridita Clayton Stone e i suoi amici scorrazzare in giro per la città, con Steph che sicuramente avrebbe tentato di coinvolgere anche me e mio fratello già pronto a ricattarmi e a fare la spia. L'inferno, insomma.

Dopo pranzo mamma e papà erano partiti, sembravano esageratamente felici di abbandonarci lì al nostro destino. Lo sarei stata anche io al posto loro. Avrei condiviso la stanza con Steph, quindi in pratica non avrei avuto un attimo di solitudine, mai.

«Ho portato il registratore e le cassette, Bon. Così possiamo ascoltare la musica in camera.»

Mentre osservava il soggiorno un po' smarrita, le mostrai con un cenno l'anticamera che conduceva alle scale e alle camere al piano di sopra.

«Il pianoforte è a disposizione se volete suonare, ragazze.» Mia nonna Lara posò gli occhi azzurri su di me. Aveva sempre sognato che io diventassi una pianista quanto meno discreta ma, come mia madre prima di me, ero stata costretta a deluderla a causa della mia mancata predisposizione e scarsa volontà di apprendere.

La musica non faceva per me. Ascoltarla forse. Ma di suonare non se ne parlava proprio. Mi chiedevo se avrebbe rivolto le sue speranze verso Eddie, ma svogliato com'era nello studio e mai fermo un minuto dubitavo che l'accontentasse facendo almeno un tentativo. Infatti aveva coinvolto nonno Bill in una discussione riguardo al calcio che, iniziata a pranzo, si era protratta. Era in cerca di sostenitori e lo stava convertendo alla sua causa, il perfido manipolatore. Parlavano fitto in soggiorno e ci avevano messe a tacere con i loro "discorsi da uomini". La nonna però non si sarebbe arresa facilmente. Forse mio fratello aveva preso la testardaggine proprio da lei.

«Quest'anno è tornato il Luna Park, finalmente.» L'informazione era rivolta a Eddie ma con un'occhiata coinvolse anche me e Steph. «Perché non andate a fare un giro? Si trova proprio di fronte alla spiaggia.»

Perché tutti avevano voglia di una vita socialmente attiva tranne me?

«No, nonna. Non mi sembra…»

«È una splendida idea!» Steph sorrise entusiasta e la sua voce sovrastò la mia. Poco ci mancò che si mettesse a battere le mani e a saltellare. «Saliamo a cambiarci. Ci infiliamo il costume così poi andiamo direttamente a stenderci sulla spiaggia. Ho proprio voglia di prendere un po' di sole e magari fare il bagno. Cosa ne pensi, Bon?»

Pensavo che avrei preferito chiudermi in camera a scrivere i miei diari o a leggere qualche libro che mi ero portata da casa. Oppure che avrei desiderato ardentemente dormire per tutta l'estate e risvegliarmi in autunno inoltrato. Anzi no, in inverno. Magari fra qualche anno, finito il liceo già che c'ero. Odiavo il mare e anche la spiaggia, il sole e il caldo. E odiavo ancora di più me stessa in costume sulla spiaggia, il mio corpo pallido e spigoloso esposto al giudizio dei bagnanti.

«Io non ho bisogno di cambiarmi, comunque...» Sollevai le spalle con espressione scontenta.

Ovviamente di ciò che io volevo o non volevo non importava nulla a nessuno, nemmeno lì. Mi sentivo ogni giorno di più un oggetto da spostare in base ai desideri altrui.

Il Luna Park si trovava soltanto a pochi isolati dal quartiere dei nonni. Conoscevo la strada, la ricordavo perfettamente dall'ultima volta. In ogni caso sarebbe stato riconoscibile dalla ruota panoramica che già si vedeva in lontananza.

Camminavo in silenzio, a testa bassa. Con mio fratello che correva avanti attirato dalla presenza della sala giochi e Steph che sorrideva cordialmente ai passanti. Salite in camera lei si era cambiata, indossando un invitante costume intero, un abitino azzurro scollato delle stesse tonalità e i sandali chiari. Io mi ero soltanto sistemata la coda, tenendomi addosso i jeans, la maglietta grigia che mi arrivava ai fianchi e le scarpe da ginnastica. Avevo tenuto anche il maglione scuro di cotone arrotolato sullo zaino che conteneva i miei diari. Mi sarei messa a scrivere sulla spiaggia. Dal Luna Park sarebbe bastato attraversare la strada e l'avremmo raggiunta.

Appena entrati Eddie aveva incominciato ad aggirarsi come un lupo famelico alla ricerca della sala giochi. Aveva fatto rifornimento di monetine dai nonni e sicuramente non intendeva risparmiare nemmeno un centesimo.

Io e Steph lo seguivamo a distanza. Dovevo ritenermi responsabile di quel nano malefico e opportunista? Ovviamente, essendo la sorella maggiore. Era quello che i miei genitori e i miei nonni si aspettavano da me, che io lo tenessi d'occhio. E pure di Stephanie mi sentivo responsabile, a causa della sua precaria situazione familiare. Da brava amica avrei dovuto assicurarmi che stesse bene e impedirle di fare sciocchezze. In pratica per me sarebbe stato come partire per una missione impossibile.

Invece in quel preciso istante non mi importava di niente e di nessuno. Mi sentivo inutile, infelice e del tutto incompresa. In realtà non ero nemmeno certa di sapere chi e dove avrei voluto essere. Sapevo solo cosa non ero e dove non avrei voluto stare. Forse tutto sommato era già un traguardo. Ma cosa ne sarebbe stato di me? Cosa volevo davvero? Chi ero io in realtà?

«Treccine? Non ci posso credere, sei proprio tu! Treccine!»

La voce alle mie spalle era sempre più vicina. Al secondo "treccine" me l'ero sentita quasi sul collo. Voltandomi tra il tiro al bersaglio, la giostra dei cavalli e la sala giochi lo riconobbi all'istante. Nonostante fosse diventato notevolmente più alto e con le spalle più ampie, gli occhi azzurri e i capelli castano chiaro che ricadevano sul viso erano proprio i suoi. Adam Comte.

CAPITOLO 8

Quanti anni erano passati? Quattro o forse di più. Cinque. L'ultima estate che avevo trascorso dai nonni lui non c'era. E non c'era nemmeno il Luna Park gestito da suo padre. Avevo undici anni e portavo ancora le trecce.

«Ciao...» Non sapevo che altro dire. Dovevo ancora prendere confidenza con il suo nuovo aspetto, con il suo corpo quasi da adulto. Feci un rapido calcolo della sua età, aveva circa due anni più di me, quindi ora...

«Non mi presenti il tuo amico, Bonnie?» Stephanie. L'avevo dimenticata. Prima che potessi ribattere aveva già teso la mano ad Adam con un sorrisetto ammiccante. «Ciao, io sono Stephanie.»

«Adam» replicò lui stringendole la mano, senza aggiungere altro.

Ormai mi avevano preceduta, quindi il mio intervento nelle presentazioni sarebbe stato inutile. Steph mi lanciò un'occhiata imperscrutabile che non seppi come interpretare.

«Sei stata via un po'...» Adam tornò a rivolgersi a me.

«Sì, ma... l'ultimo anno tu non c'eri. O forse gli ultimi due...» Non sapevo cosa dire. Eravamo cresciuti.

Non avevo mai avuto molto da dire nemmeno prima in realtà.

«Ho cambiato idea. Voglio andare nella casa dei fantasmi!» Eddie. Avevo completamente dimenticato pure lui.

«Allora vai...» Mi strinsi nelle spalle, non avevo voglia di avere anche mio fratello intorno. Ma c'era, indubbiamente. C'era fin troppo.

«No, da solo non mi va, non ci vado. Vieni con me!» Eddie mi afferrò per un braccio per trascinarmi con sé.

«No, scordatelo... non ci penso proprio! Smettila Eddie!»

Mi divincolai cercando di liberarmi di lui. Mi sentivo stupida e patetica, tra Adam che mi fissava un po' perplesso e Stephanie che spostava incuriosita lo sguardo tra lui e me.

«Però, quanto sei cresciuto!» Adam posò la mano sulla testa di Eddie scompigliandogli i capelli. «Ma non sei abbastanza coraggioso da andare nella casa dei fantasmi senza tua sorella?»

Eddie lanciò un'occhiata furiosa ad Adam, ma una certa soggezione gli impedì di rispondergli male. Evidentemente gli aveva appena distrutto l'orgoglio di maschio intrepido e senza paura. Mi lasciò andare il braccio e si avviò deciso verso la casa dei fantasmi, che si trovava proprio accanto al tiro a segno.

«Grazie...» sorrisi appena ad Adam. «Ma non devo perderlo di vista, altrimenti i miei nonni...» sbuffai stringendomi nelle spalle.

«Non ti preoccupare troppo. Quanti anni ha ora? Undici, dodici? Noi alla sua età ce ne andavamo in giro da soli, ricordi?» Adam si voltò a guardare Eddie che si allontanava.

Aveva ragione. I miei trattavano ancora Eddie come un bambino, con me non erano mai stati così iperprotettivi. E nemmeno così permissivi. Forse era arrivato il momento di cambiare le cose, di smettere di assecondare i capricci di mio fratello.

«È un ragazzino viziato...» bisbigliai tra me.

«Mio fratello Dennis lo è ancora di più, fidati! Se ne approfittano...»

Improvvisamente rammentai che anche Adam aveva un fratello minore, più o meno della stessa età di Eddie. Gli anni passati erano entrambi troppo piccoli, ma se avessero fatto amicizia forse sarebbe stata un'ottima occasione per liberarmi di lui per l'intera estate.

«Perché non andiamo anche noi nella casa dei fantasmi? Sembra divertente!» Non so se Stephanie stava cercando di spezzare i miei continui silenzi imbarazzati o i tentativi inutili di Adam di portare avanti la conversazione.

«No, io no...» Avrei voluto scomparire. Ma non nella casa dei fantasmi.

«E tu, Adam? Mi accompagneresti? Non voglio andarci da sola!»

Proprio come Eddie. Eccone un'altra. Vogliono andare nella casa dei fantasmi ma non da soli. Anche se iniziavo a supporre che la motivazione di Steph fosse completamente diversa. Aveva appena lanciato ad Adam il suo tipico sguardo da conquista. Probabilmente oltre a liberarmi di Eddie mi sarei liberata anche di lei per l'intera estate.

CAPITOLO 9

Perfetto quindi. Mentre Adam e suo fratello Dennis si occupavano di intrattenere Stephanie e Eddie nella casa dei fantasmi io ero rimasta sola. Sola e libera. Non essendo particolarmente attratta dall'idea di aggirarmi per il Luna Park avevo attraversato la strada e in pochi passi avevo raggiunto la spiaggia. Magari avrebbero replicato il giro, oppure provato qualche altra giostra che li avrebbe tenuti impegnati ancora per un po'.

Aprii il mio zaino e frugai alla ricerca del mio diario. Però no, non avevo nemmeno voglia di scrivere. Mi sedetti sulla sabbia, ben lontana dalla riva e dalle persone stese a prendere il sole in costume o che si tuffavano tra le onde. Stesi le gambe e portai le braccia all'indietro. Chiusi gli occhi, tentata di stendermi completamente, dimenticando tutto, anche me stessa. Mi sentivo stanca e la tentazione di assopirmi stava diventando irresistibile.

«Ehi... perché sei sparita, treccine?»

Mi trattenni appena in tempo. Adam mi si era seduto accanto, circondandosi le ginocchia con le braccia. Aveva inclinato la testa verso di me e mi scrutava in attesa di una mia risposta.

«Non sono sparita. Sono qui. Mmh...» Gli avrei chiesto il motivo per cui insisteva a chiamarmi ancora "treccine" come faceva anni prima, anche se ora non le avevo più. Invece evitai. Senza un particolare motivo.

«Non avevo nessuna voglia di andare nella casa dei fantasmi, ma non volevo essere maleducato con la tua amica...» sospirò passandosi una mano tra i capelli. Era un gesto abituale, lo ricordavo. Ma ora aveva un effetto completamente diverso. Gli occhi azzurri sembravano più profondi, più vividi.

«Io invece a essere maleducata ci riesco benissimo!» Sorrisi voltandomi verso di lui. Il suo abbigliamento era molto simile al mio, maglietta scura e jeans. Ma questo significava che io ero vestita come un ragazzo e non deponeva a mio favore. «Dove li hai lasciati? Stephanie e mio fratello...»

«Tuo fratello è rimasto con Dennis e con mio padre al tiro a segno. La tua amica è andata in una cabina a sistemarsi il costume perché vuole fare il bagno, così ha detto. Non li ho abbandonati in giro, tranquilla.»

Non capivo se Adam stesse usando quel tono rassicurante per tranquillizzarmi o per prendermi in giro.

«Avresti anche potuto...»

Mi tirai la coda da parte, su una spalla, e arrotolai una ciocca intorno a un dito. Non ero solita giocare con i miei capelli, quindi il gesto inconsueto mi sorprese.

«Sono contento di rivederti.» Adam posò una mano sulla mia testa ma la ritrasse immediatamente.

Non compresi se il tentativo fosse stato quello di scompigliarmi i capelli, un po' come aveva fatto con Eddie. Essendo legati avrebbe fallito comunque, quindi sembrò piuttosto che stesse accarezzando un cane o un gatto.

«L'ultima volta non c'eri.» Lo avevo già detto. Ma non ero un'esperta nel portare avanti una conversazione. Infatti non sapevo che altro aggiungere.

«Abbiamo avuto un periodo difficile, siamo stati via per un po' per tentare la sorte altrove ma non è cambiato nulla. Probabilmente mio padre sarà costretto a chiudere, le cose non stanno andando bene, molti dei nostri collaboratori se ne vogliono andare, altri se ne sono già andati.» Sospirò lasciandosi scivolare all'indietro e scostandosi i capelli dalla fronte una volta steso. Si passò le mani sul viso, con un sospiro più profondo. «Io voglio entrare in marina, ormai ho deciso. Aspetto solo di compiere diciotto anni, tra un mese. Così potrò andarmene davvero. Questa vita non fa per me.»

«Ah... mi dispiace. Cioè... che chiudete, mi dispiace.»

Non eccellevo nemmeno nell'esprimere solidarietà. Anzi. Ero un disastro. Studiavo parole adatte da dire per poi rendermi conto che sarebbero state inopportune e soggette a un'interpretazione sbagliata. Anche il mio tono di voce apatico spesso non aiutava e le parole restavano lì, come sospese nel vuoto, intrappolate in uno spazio indefinito. Ero brava a scriverle, ad averle davanti su un foglio, una dopo l'altra, in modo da sapere sempre come organizzarle. Non a pronunciarle e a disperderle nel vento, a lasciarle andare e a perderne completamente il controllo.

«Eccomi! Che ve ne pare?» Stephanie si ripresentò nel suo costume da bagno azzurro, con i capelli completamente raccolti sulla nuca e gli occhialoni da sole. L'effetto era straordinario, sembrava una diva degli anni Cinquanta. Lanciò a terra la sua borsa, i sandali e il vestitino, ridotto a uno straccetto informe.

Adam voltò la testa verso di lei, facendosi ombra con una mano per osservarla meglio. Strizzò leggermente gli occhi con espressione compiaciuta.

«Stai molto bene.»

«Andiamo a fare il bagno?» Lo sguardo di Stephanie era fisso su Adam. Non pensai che volesse escludermi. Sapeva che non avrei accettato.

Adam si rimise seduto, poi si sfilò la maglietta con gesto deciso. «Tu non vieni?»

Scossi la testa senza esitare. «No, non ho il costume.»

Lo osservai alzarsi un po' pigramente e sfilarsi le scarpe e i pantaloni. Vedendolo nei suoi boxer blu distolsi immediatamente lo sguardo. Era decisamente cambiato. Cercando qualcosa di indefinito nel mio zaino evitai di assistere alla corsa di Stephanie e Adam verso la riva. Con un'occhiata fugace mi assicurai che avessero raggiunto la meta.

Vidi Stephanie entrare in acqua per poi voltarsi a schizzarlo con un getto d'acqua e quindi allontanarsi allo scopo di farsi rincorrere. Mi sembrava di assistere alla scena di un film. Nulla di diverso dal solito, io come sempre assistevo alla sua vita da spettatrice. Rideva e sembrava felice, almeno lei. Io non riuscivo a comprendere come mi sentivo. Sapevo solo che finalmente potevo stare un po' da sola, in pace. Era quello che volevo e il mio desiderio si era realizzato, non avrei dovuto lamentarmi. Solo che la tanto auspicata pace era quasi annullata da una tensione incontrollabile che mi saliva dal petto e mi contorceva la bocca dello stomaco. Una sensazione spiacevole che mi faceva provare un disagio e un nervosismo a cui non ero in grado di dare una spiegazione razionale.

CAPITOLO 10

«Allora è lui!» Stephanie, una volta tornate a casa, era rimasta in silenzio fino a quando avevamo raggiunto la nostra camera.

«Lui chi?» Conoscendola mi aspettavo qualunque cosa da lei.

«Come chi? Adam!» Mi puntò addosso gli occhi cercando di incrociare il mio sguardo. «Adam insomma… quello del tuo diario. Si chiama Adam, o no? L'ho capito subito. È per lui che hai iniziato a scriverlo.»

Era vero. Il mio *Diario di Adam*. Non ci avevo pensato.

«Steph è solo un nome. È stato casuale, non intendevo lui. Cioè Adam. Poteva anche essere…» Clayton? No. Decisamente no. «Poteva essere un nome qualunque.»

«Quindi non ti interessa?»

Non apprezzavo il modo di indagare di Stephanie. Che poi era il suo modo di fare abituale, ma in quell'occasione la trovavo invadente e ostinata.

«No, Steph. Non mi interessa!» Sbuffai allargando le braccia lungo i fianchi. Già immaginavo cosa avrebbe comportato quella mia rivelazione.

«Quindi non ti dispiace se ci provo io…»

Ecco, appunto. Come se avesse avuto bisogno della mia approvazione.

«Tutto tuo se lo vuoi.» Sospirai sedendomi sul mio letto. Mi sentivo stanchissima pur non avendo fatto nulla per tutto il giorno. «Ma con quell'altro cosa farai quando arriverà?»

«Intendi Clayton?» Steph si lasciò cadere di peso al mio fianco. «Non lo so. Tanto mi starà sicuramente tradendo con un'altra in questo momento, quindi... Sai com'è fatto lui. E comunque non è mai stata una cosa seria tra noi.»

Non replicai. Durante il viaggio Steph non aspettava altro che l'arrivo di Clayton a Bournemouth. Qualche ora più tardi aveva completamente cambiato idea. Era evidente che non fosse una cosa seria, ma solo smania di vittoria su Lesley. E invece il suo nuovo interesse nei confronti di Adam, che cos'era? Sicuramente non avrei tardato a scoprirlo.

Con il trascorrere dei giorni grazie ad Adam, a suo fratello e al Luna Park avevo ottenuto la vacanza dei miei sogni. Tranquilla e rilassante. Eddie era completamente assorbito dal tiro a segno e dalla frenesia di scoprire i segreti della casa dei fantasmi. Aveva addirittura chiesto a Steve Comte, il padre di Adam, di assumerlo come fantasma in prova, promettendo che sarebbe stato bravissimo nel terrorizzare i clienti.

Allo stesso modo Stephanie stava costantemente attaccata ad Adam. Considerato il fatto che non doveva portarlo via a una rivale, immaginai che il suo interesse nei suoi confronti fosse spontaneo, reale. Anche se Adam non aveva nulla a che fare con i tipici ragazzi che di solito attiravano l'attenzione di Steph. Aveva certi amici che solitamente incontravamo sulla spiaggia, ma anche con loro sembrava avere poca confidenza.

«Sai che ho scoperto che scrive poesie!» Mi rivelò una sera Stephanie, mentre ci stavamo preparando per andare a dormire. «Tu non lo sapevi?» Si infilò a letto, voltandosi verso di me. «Lui è davvero molto diverso dagli altri. E non solo perché scrive. Anche altri scrivono. Ma Adam non sembra interessato a me dal punto di vista in cui lo sono gli altri, capisci cosa intendo Bon?»

«Mmh...» Non ero certa di voler capire. Ed ero comunque abbastanza sicura di non voler proseguire quella conversazione troppo a lungo. «Magari è solo più bravo a nasconderlo. I maschi sono tutti uguali, Steph. Non ti illudere.»

«Parli come una grande intenditrice. E invece...» Stephanie scoppiò a ridere e mi lanciò uno dei suoi cuscini.

«Non sarò un'intenditrice come te, ma so osservare bene. Ognuno ha il suo atteggiamento, il suo modo di comportarsi. Come si può definire... il suo stile, ecco.

Considera Clayton, Anthony e quel poveretto di Stuart Sminer. Cosa credi che voglia anche lui?» Forse non avrei dovuto nemmeno iniziare il discorso. Ma ormai…

«Portarmi a letto?» Ecco, non si poteva certo dire che Steph girasse intorno alle questioni.

«Io non lo avrei espresso così, però… Quello che volevo dire è che ognuno ha il suo carattere, ma alla fine tutti vorrebbero stare con te. Quindi anche Adam, suppongo. Per questo dico che è come gli altri.» O forse no. Non ne ero più convinta nemmeno io in realtà. Non sapevo nemmeno più perché avevo iniziato quel discorso e dove volevo arrivare davvero.

«Comunque…» Stephanie sembrava persa nelle sue fantasie, probabilmente non mi aveva nemmeno ascoltata. «Davvero non ti importa se mi faccio avanti con lui? Se inizio una storia seria, voglio dire…»

«Me lo avevi già chiesto quando siamo arrivate. Ti ho già detto che puoi fare quello che vuoi, Stephanie.»

Non capivo perché insistesse tanto nel chiedere il mio consenso. Comunque ormai aveva deciso. E poi come poteva pensare a una storia seria? Lo conosceva solo da qualche giorno. Ma forse accadeva proprio così e io non avevo esperienza per giudicare se fosse giusto o sbagliato. Tanto meno per avere un'opinione sulle tempistiche delle relazioni sentimentali.

«Tu lo conoscevi da prima, per questo voglio essere sicura che non ti dia fastidio… Se c'è stato qualcosa tra di voi in passato…»

Mi sciolsi i capelli, posai l'elastico sul comodino e sprofondai la testa nel cuscino. «In passato quando? Avevo undici anni, Steph. Non mi è mai importato di Adam. E non mi importa nemmeno ora. Contenta?»

«Sì, sono contenta. Perché allora potresti concedermi il tuo solito aiutino…» Stephanie ridacchiò nascondendo la testa sotto le coperte. Non avevo idea di cosa intendesse. «Scrive anche lui, quindi ti dovrai impegnare molto di più questa volta! Dovrai dare il meglio di te.»

Compresi all'istante. Scrivere ad Adam? Io? No, non poteva chiedermi anche questo.

«Non ci penso proprio, mi dispiace. E poi secondo me non ne avrai bisogno con lui.»

«Bonnie, per favore. Adam è tanto carino e gentile, ma mi sembra un po' lento a capire. Non ha nemmeno provato a baciarmi ancora! Sembra intimidito. Magari con le paroline giuste possiamo accelerare un po' i tempi. L'estate passa in fretta, finirà che mi tocca partire proprio sul più bello, senza nemmeno provarlo…»

Stephanie continuava a ridere. Nonostante tutto iniziai a ridere anche io. Era davvero senza scrupoli e senza vergogna.

«No, no. Mi rifiuto. Le paroline giuste con Adam questa volta te le trovi da sola.» Le girai le spalle nascondendo la testa sotto al cuscino. «Io e le mie lettere siamo in vacanza fino a settembre!»

CAPITOLO 11

Stephanie era riuscita a ottenere quello che desiderava, come sempre. Prima da me e poi da Adam. Io avevo scritto una delle mie lettere, impegnandomi meno del solito però. Avevo prodotto una sorta di copia di quella che avevo recentemente creato per Clayton, cambiando alcuni passaggi solo allo scopo di personalizzarla e rivolgerla ad Adam. Stephanie non se n'era nemmeno accorta. E il piano di conquista di Adam aveva funzionato. Però lui, al contrario di Clayton, oltre a cedere aveva risposto. A volte accadeva, nulla di nuovo. Poche righe, un po' distaccate in realtà. Messe insieme quasi per cortesia, come da uno che volesse accertarsi di non aver frainteso le intenzioni di chi aveva scritto la lettera. Forse era stato uno sbaglio da parte mia riciclare la lettera di Clayton anche per lui. Avrei dovuto formulare frasi diverse, nuove... ma ormai era andata così e poi l'obbiettivo di Stephanie era stato raggiunto, quindi non aveva più importanza.

La verità però era un'altra. Se quelle poche parole un po' distaccate da parte di Adam non avevano creato problemi a Stephanie, avevano invece turbato me. Mi rendevo conto che la lettera destinata a Clayton Stone era stata del tutto inadatta per Adam, troppo forzata, troppo palese. Non abbastanza raffinata. Era stato un mio imperdonabile errore. La mia carriera di scrittrice di lettere altrui poteva essere irrimediabilmente compromessa.

Per questo l'inizio della frequentazione di Stephanie e Adam aveva coinciso con il mio impegno per evitare accuratamente di restare da sola con lui, anche per pochi minuti. Non volevo nemmeno conoscere i dettagli della loro storia. Piuttosto preferivo seguire Eddie e Dennis, con la scusa di sorvegliarli quando in realtà non ce n'era alcun bisogno.

Uscivo la mattina presto a passeggiare lungo la spiaggia. Era un modo per sentirmi meno sola. Paradossalmente mi sentivo più sola quando stavo in mezzo agli altri. Invece quando lo ero davvero, percepivo come un sollievo, un respiro amico che mi accompagnava, che placava il mio stato d'animo e quello strano tormento interiore che mi affliggeva senza una ragione precisa.

Passo dopo passo raggiunsi la riva. Sfilandomi le scarpe lasciai che l'acqua mi sfiorasse i piedi. Sollevai i jeans entrando fino alle caviglie. Chiusi gli occhi. In fondo mi piaceva l'acqua del mare. Che mi sfiorasse appena però, senza avvolgermi, senza sommergermi.

«Anni fa credevo che non volessi bagnarti i capelli, sai treccine? Per questo non entravi mai in acqua.»

La sua voce alle spalle non mi sorprese. Non lo aspettavo, ma mi rassegnai. Prima o poi sarebbe dovuto accadere.

«Io invece credevo che tu mi chiamassi così perché non ricordavi il mio nome.»

Probabilmente era vero. Comunque non aveva motivo di ricordarlo.

Adam si sfilò le scarpe e le lanciò indietro nella sabbia.

«Allora non avevi una grande opinione di me, Bonnie Meiscl.»

«Non ho una grande opinione di nessuno, Adam Comte. Niente di personale.»

Percorsi qualche passo lungo la riva. Non sapevo come pormi nei suoi confronti. Non riuscivo ad afferrare il mio ruolo con lui che da ragazzino quasi amico d'infanzia era cresciuto per diventare il ragazzo di Stephanie.

«Peccato. Che vuoi fare nella vita, treccine?»

«Ti sembra una domanda sensata alle otto del mattino?»

Continuai a camminare sollevandomi le maniche della felpa. Non volevo voltarmi a guardarlo. Quella maledetta lettera mi faceva sentire a disagio. Non mi era mai accaduto prima, con nessuno degli altri. Ma con lui mi sentivo quasi scoperta, compromessa, come se portassi scritto in faccia che ero stata proprio io a scriverla.

«Magari prima di colazione è un po' pretenziosa, capisco...» Lo sentii ridere alle mie spalle.

«Pretenziosa? No, non è il termine adatto. Direi piuttosto che è un po'... subdola, maligna!» Mi girai ridendo. «Chiedere a una ragazza mediocre in tutto cosa vuole fare nella vita. Certo, anche la mancata colazione influisce.»

«Ecco, allora avevo ragione. Andiamo, ti offro un muffin se vuoi. Oppure uova e pancetta...»

Per un attimo fui tentata di accettare. Ma l'idea di quelle parole riciclate dalla lettera destinata a un altro, non mi permetteva di sentirmi libera nei suoi confronti.

«No, scherzavo. Non ho mai fame la mattina. Grazie comunque, Adam.»

Volevo solo togliermi dalla situazione, al momento. Tornare a casa. A casa dai nonni. Anche a casa mia a Bath in realtà. Allontanarmi e basta.

«C'è qualcosa che non va, vero?» Adam si scostò da me e dalla riva, andandosi a sedere poco lontano. Lo vidi chinare il capo e giocherellare con dei granelli di sabbia che raccolse in una mano per poi lasciarli cadere.

«No, io...» Non capivo cosa intendesse per cui non sapevo come rispondere. L'istinto mi spingeva a sedermi al suo fianco, a parlare con lui. La ragione invece tentava di convincermi a tenerlo a distanza.

«Vorrei essere più divertente, ma non ci riesco in questo momento.» Quando sollevò la testa mi sentii attraversare dai suoi occhi azzurri.

«Lo stai dicendo alla persona sbagliata, Adam. Non sono mai stata divertente in vita mia, quindi non farti problemi. Non c'è nulla che non va... sono così di natura.»

Cedetti all'istinto andandomi a sedere accanto a lui.

«Riesco solo a pensare ad andarmene via da qui, a partire.» Adam si morse le labbra, abbassò nuovamente lo sguardo e prese a disegnare sulla sabbia con le dita. «Mio padre si ostina a non abbandonare il Luna Park anche se le cose vanno male. Non accetta ragioni, da quando mia madre è morta. E io sai cosa penso? Che sia colpa sua, in fondo... che... se non fosse stato così ossessionato, lei non si sarebbe ammalata. Oppure avrebbe accettato di farsi curare prima... Ma lui cercava di salvare il Luna Park, era l'unica cosa di cui gli importava, quindi per alcuni anni ci siamo spostati e... diceva sempre di aver trovato il posto giusto, che la situazione sarebbe cambiata...»

Non sapevo di sua madre. La ricordavo. Dolce, simpatica. Molto somigliante ad Adam, nel suo modo di sorridere. Non vedendola nella settimana appena trascorsa, non avevo chiesto di lei. Nessuno ne aveva parlato e io non ci avevo pensato. Avevo creduto solo che fosse un caso non averla ancora incontrata. Non mi ero posta il problema.

«Mi dispiace, Adam.» Non sapevo che altro dire. Mi sentivo pessima, distante, indifferente alla sua sofferenza, ai suoi drammi. Stephanie non mi aveva detto nulla. Forse nemmeno lei sapeva.

«Con te non devo sforzarmi di essere divertente, treccine. Non hai idea di quanto sia complicato a volte.»

Posò la mano sulla mia testa, come aveva già fatto qualche giorno prima. La trattenne più a lungo questa volta.

«Io non mi sforzo mai. Non ti preoccupare.»

Continuando a percepire il contatto con la sua mano sulla mia testa fui tentata di sfiorargli il viso. Provavo compassione per lui. Un dispiacere sincero, pur non essendo brava a esprimerlo.

Quello che vedevo in lui andava oltre Stephanie, oltre me stessa e soprattutto oltre la mia stupida lettera. Lo trovai perso, confuso, combattuto tra doveri e desideri. Tra rancore e rimpianti. Allora compresi che la sua insistenza nel chiamarmi "treccine" era forse un tentativo di rimanere attaccato a un passato in cui il dolore non era ancora stato sperimentato. In cui il futuro sarebbe stato davvero tutto da vivere, senza contrasti, senza rimorsi, senza necessità di scelte più o meno forzate. E lo capivo. Perché io, anche se in modo diverso, provavo esattamente lo stesso.

CAPITOLO 12

Trascorse qualche altro giorno. Adam e io non parlammo più di quella mattina, non tornammo sul discorso e io evitai di approfondire le sue confidenze. Magari Stephanie sarebbe stata più adatta di me a confortarlo e a esprimere solidarietà. Lei era calda e tenera, quanto io mi sentivo fredda e arida.

La prima domenica di luglio, poco dopo l'ora di pranzo, Stephanie ricevette una telefonata a casa dei nonni. La nonna, che le aveva passato la chiamata, non disse chi l'aveva cercata e io diedi per scontato che si trattasse dei suoi genitori. Mentre era al telefono mi avvicinai senza pormi problemi. Per scoprire che a chiamare non erano stati i suoi, ma Clayton. Quindi lei in qualche modo era riuscita a fargli avere il numero di telefono dei nonni a mia insaputa. Certo, se gli aveva fatto promettere di raggiungerla, doveva averlo messo in condizioni di contattarla.

Mi ritirai in un angolo per non essere indiscreta e sperando che concludesse in fretta, ma la conversazione si protraeva ancora. La sentivo ridere senza riuscire a comprendere di cosa stessero parlando. Avevamo deciso di recarci al mercatino di antiquariato che arrivava in città la prima domenica del mese. Dopo una mezz'ora di attesa, sentendomi sempre più infastidita dal suo comportamento, decisi di andarci senza di lei. Le feci un cenno e lei mi comunicò a gesti che mi avrebbe raggiunta in seguito in centro.

Così mi ritrovai ad aggirarmi tra le bancarelle da sola. Per quanto ci avessi tenuto ad andare non riuscivo a soffermarmi su nulla. Eddie mi aveva seguita e mi era stato intorno per circa dieci minuti prima di stancarsi e avviarsi verso il Luna Park. Tra oggetti antichi, soprammobili, abiti di epoche passate e vecchi libri non c'era nulla che potesse attrarre la sua attenzione. Io invece mi sentivo quasi confortata dalla presenza di quelle anticaglie. A casa. Erano oggetti remoti, inconsueti. Passati di moda, un po' come lo ero io.

Capitai di fronte a un banco che raccoglieva insieme una quantità di oggetti vari, da utensili per la casa ad accessori per la toeletta di un tempo, specchi, vecchie spazzole, colletti ricamati. C'erano anche bamboline di porcellana, giocattoli in legno, collezioni di soldatini. In un angolo vidi esposte alcune raccolte di francobolli, vecchie fotografie, cartoline e lettere. Mi avvicinai per osservare meglio. Sì, erano davvero cartoline e lettere che qualcuno aveva scritto tanti anni prima. Ingiallite, consunte, talmente fragili da rischiare di essere distrutte anche con una pressione troppo forte delle dita. Mi diedero la sensazione di povere vecchie ossa abbandonate a se stesse, smarrite nel tempo, che si sarebbero potute sgretolare da un momento all'altro senza più un corpo che le proteggesse. Vittime di desolazione, di incuria, di noncuranza.

Venni colta da una commozione così sottile ma allo stesso tempo profonda da non riuscire a trattenere un singhiozzo. Mi portai le mani al viso per nascondere gli occhi. Che senso aveva essere così stupida? Piangere per parole passate che non mi appartenevano, che non avevano nulla a che fare con me?

Ne raccolsi una a caso. Era una vecchia cartolina di Bournemouth del 1903 spedita da una certa Gladys a qualcuno il cui nome era sbiadito e che io non riuscivo a decifrare, scritta in una calligrafia minuta e regolare.

«Cosa penseresti se qualcuno tra ottant'anni leggesse le nostre lettere, treccine?»

Posai automaticamente la cartolina in mezzo alle altre e mi staccai di un passo dal bancone. Sollevai lo sguardo e gli sorrisi appena, forzandomi di apparire naturale. Non mi stupiva incontrarlo lì, Stephanie probabilmente gli aveva detto che ci saremmo andate nel pomeriggio.

«Non penserci nulla perché sarei morta tra ottant'anni. Quindi chi se ne frega!»

Mi allontanai dalle lettere per fermarmi di fronte a una collezione di diari con copertine illustrate. Sfogliandoli mi resi conto che nonostante fossero piuttosto vecchi erano intatti, mai stati usati.

«A me darebbe fastidio se la gente leggesse qualcosa di mio.» Adam non sembrava intenzionato a desistere. «Un po' come... insomma, pensa se io scrivessi una lettera a una ragazza e la leggesse un'altra. E se a quest'altra poi saltasse in mente di rispondermi, così ipoteticamente...»

Era un modo per comunicarmi che sapeva, che aveva capito?

«A me invece non importerebbe. Quello che scrivo non è così importante.»

Stavo disperatamente cercando di cambiare discorso ma nella mia mente all'improvviso si era fatto il vuoto più assoluto. Forse avrei potuto giustificare l'assenza di Stephanie, ma avrebbe significato raccontargli che era rimasta al telefono con Clayton. Oppure sarebbe stato meglio dire che erano i suoi genitori. Ma la mia capacità di raccontare bugie non era impeccabile, quindi non era il caso di rischiare.

«C'è qualcosa che ti piace qui?» Adam bloccò il fluire dei miei pensieri prima che potessi trovare un nuovo argomento di conversazione. Stava fissando ciò che io tenevo tra le mani.

«No...»

Mi resi conto solo in quel momento di essere rimasta con uno dei vecchi diari in mano. Raffigurava, in un acquarello un po' scolorito dal tempo, un paesaggio di campagna, molto simile a quello che da Bath mi aveva portata a Bournemouth. Sullo sfondo due figure abbracciate, una donna dai lunghi capelli sciolti sulle spalle e un uomo che la cingeva per la vita. Lo posai rapidamente sul banco.

«Carino, potresti comprarlo.»

Adam lo riprese e lo osservò attentamente stringendo gli occhi.

«È solo un vecchio diario mai utilizzato, Adam. E poi non ho abbastanza soldi con me ora.»

Non ne avevo proprio. Ero uscita di fretta e senza zaino, probabile che avessi qualche moneta in tasca, ma non ne ero certa.

«Ti posso fare un prestito.»

Non capivo perché avesse costantemente la tendenza a ostinarsi. Si era messo in testa che io volessi quel diario. Quindi lo avrei avuto, che mi piacesse o meno.

«Sei davvero testardo, Adam.»

«Io sì, quando voglio qualcosa. Tu invece…»

Mi rivolse una smorfia, poi attirò l'attenzione dell'anziano signore oltre al bancone. Gli si avvicinò, acquistò il diario e tornò da me per consegnarmelo.

«Salderò il mio debito appena possibile» sospirai. Mi ero appena fatta comprare un diario che probabilmente non avrei mai usato. Non riuscivo a crederci.

«Un modo sarebbe lasciarmi leggere cosa ci scriverai.» Adam sorrise, poi si guardò intorno come in cerca di una destinazione.

«Ti sembro il tipo che lascia leggere agli altri il proprio diario?» La domanda mi uscì prima che avessi la prontezza di trattenerla.

«Sinceramente, treccine... sì, mi sembri proprio il tipo.»

Lui sapeva. Non capivo se in qualche modo lo avesse intuito. L'allusione alle lettere prima, subito dopo al diario. Probabilmente era stata Stephanie a parlargliene, a tradirmi. Ma come aveva potuto raccontargli che ero stata io a scrivere la lettera? E magari gli aveva detto anche del diario che scrivevo e che avevo chiamato con il suo nome! Io l'avevo aiutata e questo era stato il ringraziamento! Non importava come fosse successo, comunque. Ciò che contava e che non riuscivo a tollerare era che Adam sapeva e io per la prima volta mi sentivo incredibilmente fragile e vulnerabile. Proprio come quelle povere vecchie lettere che qualcuno aveva scritto tanti anni prima. Proprio come il diario che lui mi aveva appena comprato.

CAPITOLO 13

«Andiamo sulla spiaggia?» Adam sollevò le spalle con espressione indifferente. O meglio, era a metà tra noncurante e rassegnata. Come se avesse cercato invano un'altra destinazione senza riuscire a trovarla.

«Non mi va di fare il bagno.»

Meglio chiarire prima che gli saltasse in mente di propormelo.

«Lo so» annuì accennando un sorriso mentre percorrevamo il tratto di spiaggia che ci separava dalla riva. «Comunque nemmeno a me, stai tranquilla.»

Le scarpe da ginnastica mi affondavano nella sabbia asciutta provocandomi un effetto fastidiosissimo. Forse avrei dovuto toglierle, ma non mi andava. Era una giornata piuttosto fredda e ventilata nonostante ci fosse il sole. L'estate non era mai particolarmente affidabile.

Ci sedemmo a poca distanza dal mare. Le onde si infrangevano sulla riva con uno sciabordio lieve ma costante. Restammo in silenzio per qualche minuto. Nonostante cercassi argomenti di conversazione brillanti non sapevo proprio come iniziare.

«Grazie per il diario.»

Era l'ultima cosa che avrei voluto dire. Ero certa che Adam ne avrebbe approfittato per tornare sul discorso di prima. Incredibile! Mi procuravo danno da sola!

Invece tacque. Nemmeno una parola in proposito. Soltanto si sfilò il maglione e me lo posò sulle spalle.

«Stai tremando. Oggi fa un po' freddo.»

«Sì, un po'...»

Afferrai il suo maglione per le maniche e tentai di avvolgermelo intorno. Percepivo il suo profumo su di me. Ne ero talmente inondata da provocarmi una sensazione inebriante ma inaspettata al tempo stesso.

Restammo seduti in silenzio. Più di una volta mi sforzai per cercare qualcosa da dire. Qualunque cosa, anche non particolarmente intelligente, solo per fare conversazione. Ma non riuscii a trovare nulla. Adam restava al mio fianco. Osservava il mare. Forse meditava sulla sua vita, sulla scelta di partire. Avrei voluto chiederglielo, ma non osai interferire. Mi sentivo di troppo anche tra i suoi pensieri.

Fummo interrotti, se così si può dire, dall'arrivo di Stephanie. Si inginocchiò accanto ad Adam aggrappandosi al suo braccio e incollando le labbra alle sue. Evitai di guardarli per non innervosirmi. Non la capivo ma ancora meno riuscivo a capire me stessa. Stephanie in fondo era sempre stata così, non c'era nulla di molto diverso dal suo atteggiamento normale. Non lo avevo mai approvato ma nemmeno avevo mai sperimentato questa sensazione di fastidio e insofferenza nei suoi confronti.

Convinse Adam ad entrare in acqua con lei e insieme sparirono tra le onde per sempre. O almeno fu ciò che desiderai in quel momento. Invece no, restarono a scherzare poco distanti dalla riva rendendo ancora più palese la mia inadeguatezza.

«Clay arriverà domani. Con due amici. Non credo che resterà molto in zona.» Mi comunicò Steph appena arrivate a casa.

«E tu che intenzioni hai?» Lo chiesi senza riflettere. Con l'arrivo di Clayton sarebbe stata costretta a fare una scelta, ma in fondo non erano affari miei.

«Ho intenzione di rompere con lui… per quello non credo che si tratterrà a lungo.» Stephanie sospirò stringendosi nelle spalle. «Ma forse è meglio così.»

«Per Adam?»

Domanda superflua. Conoscevo già la risposta. Clayton Stone avrebbe presto fatto parte della squadra in cui si trovava anche Anthony Page. Quella dei "mollati da Stephanie Lindbergh". Sarebbe successo anche ad Adam, prima o poi.

«Sì, per Adam.» Stephanie annuì con espressione palesemente soddisfatta accompagnata da aria sognante. «Voglio stare con lui.»

«Alla fine dell'estate torneremo a casa, Steph.»

Mi chiedevo se lo avesse messo in conto. La separazione, la distanza… Non che la vicinanza avesse mai influito positivamente sulle relazioni di Stephanie.

«Bon, alla fine dell'estate non so nemmeno dove andrò a stare. I miei si stanno separando e mia madre vuole andare a vivere nel Kent. Così io…» Stephanie sospirò e si passò le mani tra i capelli, poi li lasciò scivolare su una spalla. «Probabilmente diventerò una specie di pacco che si passeranno, finché non avrò raggiunto l'età per stare per conto mio. Fortunatamente non manca molto, poco più di un anno. Passerà in fretta, spero. E comunque Adam entrerà in marina. Quindi preferisco prendermi quello che posso e che voglio per tutto il tempo che resta. E adesso io voglio lui.»

Perfetto. Il ragionamento non faceva una piega. Tra tutte le sue contraddizioni e incoerenze, Steph aveva le idee chiare. Senza dubbio più chiare delle mie.

CAPITOLO 14

In cerca di una scusa per staccarmi da Steph mi ritrovai in soggiorno a suonare. Non avevo più voglia di sentirla parlare della sua travagliata vita sentimentale. Non avevo voglia nemmeno di suonare il pianoforte di mia nonna in realtà, ma in piedi cominciai a premere i tasti distrattamente prima di ritrovarmi seduta. Era la memoria a guidarmi. A guidare le mie dita, anzi. Come quando da bambini con la costante ripetizione si impara una filastrocca senza comprenderne il senso. E rimane in eterno, con la stessa modulazione e tonalità, anche da anziani si continua a rammentarla allo stesso modo infantile e cantilenato.

«Qualcosa ti turba, bambina?»

Mia nonna si era tenuta a distanza prima di avvicinarsi con circospezione. L'avevo capito fin da subito che mi stava osservando.

«No. Volevo solo fare una prova, ma...»

Smisi all'istante di premere i tasti. Avevo accennato alcune note di *Clair de lune* di Debussy senza alcun reale sentimento. Solo memoria, tecnica. Un po' come quando scrivevo. Nessun coinvolgimento emotivo, nulla. Del resto non poteva essere diversamente, considerato il fatto che io non provavo emozioni, mai.

«È per quel ragazzo che deve arrivare domani che sei agitata?» La nonna inclinò il viso e mi scrutò attentamente.

Ma di cosa stava parlando? Anzi, di chi? "Quel ragazzo che deve arrivare domani..."

«Cosa? No, assolutamente no.» Stava parlando di Clayton Stone? E di chi altro? «Arriva per Stephanie comunque, non c'entro io.»

«E per te non c'è nessuno?»

Se avessi saputo di subire un terzo grado da parte di mia nonna avrei evitato anche il pianoforte. A questo punto era meglio Steph. Almeno la forza dell'abitudine mi avrebbe aiutata a sopportare.

«No, nessuno.»

Avrei voluto trovare altro da dire per risultare più convincente, ma non mi venne in mente nulla. Continuavo a restare senza parole. E forse era proprio questo il mio problema. All'improvviso non avevo più parole, le avevo perse tutte chissà dove, chissà quando. E no, per me non c'era davvero nessuno. E del resto anche io non c'ero per nessuno. Nessuno. Nessuno. Ero solo stata brava a scrivere lettere per un qualcuno immaginario a cui davo il volto e il nome del ragazzo del momento. Ma era il ragazzo di un'altra, per me era nessuno. E così sarebbe continuato ad essere.

C'era una novità però. Mi ero stancata. E non avevo più parole da regalare. Quindi Stephanie e Adam sarebbero stati gli ultimi. Avrei smesso una volta per tutte di unire i destini degli altri. Non avevano bisogno di me, del resto. Se la sarebbero cavata benissimo anche da soli.

Aspettai di essere sola per poter uscire. Quasi di soppiatto, senza avvisare nessuno. Stephanie era rimasta in camera a provarsi i nuovi costumi che aveva comprato, la nonna si era ritirata in cucina, il nonno era in giardino. Mi mancava l'aria. E sentivo come un fastidio al centro del petto che mi accelerava i battiti per poi rallentarli improvvisamente.

Non sapevo nemmeno dove dirigermi. Spiaggia, centro... Esisteva un posto dove potermi nascondere da tutto e da tutti?

«Andiamo in spiaggia?»

Non mi ero accorta che mio fratello mi avesse seguita. Negli ultimi giorni era stato talmente tanto insieme a Dennis e a Steve Comte che lo avevo quasi dimenticato. Anzi, in realtà mi ero abituata al fatto che fosse con loro per la maggior parte del tempo.

«No, Eddie. Io ho voglia di restare da sola oggi. Vai con Dennis in spiaggia.» Non lo volevo intorno. Non volevo intorno nessuno. «Non starmi addosso pure tu, insomma! Togliti di torno!»

Mi sarei aspettata che insistesse dandomi il tormento invece sollevò le spalle, sospirò e si voltò allontanandosi da me.

«Allora ci vado da solo...» Lo sentii borbottare mentre si incamminava in direzione della spiaggia.

Non replicai e non lo trattenni. Mi sentivo debole e stanca. Tanto che avrei preso un treno qualunque per un'altra città. Una a caso, non aveva importanza. Invece ero confinata a Bournemouth senza possibilità di scelta. E non avevo voglia di incontrare nessuno.

Certo che con queste premesse ero consapevole del fatto che il Luna Park sarebbe stata la scelta meno opportuna. Provavo una sorta di attrazione e repulsione. Desideravo allontanarmi ma allo stesso tempo non riuscivo a resistere a quell'assurdo richiamo che mi trascinò non solo al Luna Park, ma all'interno della casa dei fantasmi. Forse perché in un certo senso ero un fantasma anche io, non esistevo.

Questo non faceva nessuna differenza rispetto a prima. Invece sì, una sottile differenza c'era. Prima ero soddisfatta di non esistere, grata al mondo di avermi lasciata in pace, di passarmi oltre senza attrarmi né corrompermi. Invece improvvisamente mi sentivo come in bilico tra due mondi, senza capire a quale dei due fossi destinata ad appartenere. Ma forse la verità era che non volevo capire, non volevo rischiare che il mio piccolo universo solitario ma perfetto venisse devastato e fatto a pezzi per sempre.

Quel buio, quel fragore, quelle risate maligne, perfide. E poi repentina e crudele quella luce quasi accecante, quei fili sottili sugli occhi, tra i capelli. Quel tocco quasi perverso, spaventoso. Ero stata nella casa stregata alcune volte negli anni precedenti. Non molte, ma sufficienti a comprendere che non mi aveva mai impressionata, né tanto meno terrorizzata. Mai, nemmeno la prima volta, nemmeno quando ero bambina.

Forse perché lo catalogavo nella mia mente come un mondo finto, troppo costruito da renderlo addirittura inesistente. Come potevo temere qualcosa che non esisteva? Provavo più timore nei confronti del mondo reale, delle persone che mi giravano intorno ogni giorno. Mi ero rifugiata lì alla ricerca di una finzione che mi riportasse indietro, che mi riparasse da una realtà che stava perdendo i suoi confini invadendo i miei. La temevo troppo. Per questo non intendevo permetterlo, non intendevo farmi cogliere impreparata.

Sapevo che la malia di quell'illusione sarebbe durata per poco. Dopo tre giri mi costrinsi a scendere. Mi sentivo sempre più sciocca e speravo di non essere stata vista. Sapevo anche che, indipendentemente dalla mia volontà, mi sarei dovuta imbattere in Stephanie e Adam, prima o poi. Iniziai a calcolare quanto tempo mancasse alla fine dell'estate e della nostra permanenza a Bournemouth. Troppo. Decisamente troppo per l'insofferenza da cui mi sentivo di continuo soffocare e affliggere in quegli ultimi giorni.

Fuori dal Luna Park la scelta era tra la casa e la spiaggia. Restai ferma, quasi desiderando che qualcuno prendesse la decisione al mio posto. Attraversai la strada in diagonale per raggiungere la spiaggia, un po' più avanti rispetto a dove ci ritrovavamo di solito. Avevo intenzione di iniziare a camminare e di spingermi fin dove sarebbe stato possibile arrivare. Mi sentivo rinchiusa, costretta dai limiti fisici del mio corpo e dalle circostanze che non mi permettevano di andare via, di fuggire, di essere libera.

Lanciai una fugace occhiata verso il solito punto di spiaggia, convinta di intravedere Stephanie, Adam, magari anche mio fratello e Dennis che non avevo incontrato al Luna Park. Non riuscii però a distinguerli perché un gruppetto di persone si era ammassato sulla riva. Chissà cosa c'era di così importante da vedere? Magari qualche conchiglia particolare... ma non mi sembrava ce ne fossero. Oppure avevano trovato un oggetto di valore, qualcosa di raro, di antico. La mia immaginazione cominciò a costruire storie fantastiche e improbabili. Magari una sirena. Oppure un naufrago proveniente da qualche terra sconosciuta. No, nulla mi avrebbe costretto a tornare indietro, nemmeno la curiosità. Così, imperterrita, continuai a camminare.

«Bonnie!»

Era Steph quella che correva verso di me urlando il mio nome e agitando il braccio per attirare la mia attenzione?

Sospirai rassegnata e mi incamminai nella sua direzione. Possibile che non riuscissero mai a lasciarmi in pace? Quando me la trovai di fronte vidi che era pallida e con l'espressione stravolta.

«Bonnie, fermati...» Solo quando mi ebbe raggiunta riprese fiato e si morse le labbra. Era in uno stato di tensione che non avevo mai riscontrato prima in lei. Sembrava lottare contro parole che non avrebbe voluto pronunciare. «Eddie, stava per annegare. Per fortuna è arrivato Adam!»

Era stata tutta colpa mia. Mio fratello sarebbe annegato per colpa mia, se non fosse stato per Adam. Quando avevo desiderato allontanarmi, sperando di trovarmi altrove, credevo fosse impossibile sentirmi peggio. Mi sbagliavo. Era possibile. Avevo lasciato Eddie da solo. Se Adam non lo avesse salvato lo avrei avuto sulla coscienza per il resto della vita. Quindi sì, era possibile stare peggio. Possibilissimo.

Rimasi come impietrita tra quella gente ancora raccolta intorno a Eddie che continuava a tossire ma si sforzava comunque di mostrarsi superiore, come se non avesse rischiato troppo allontanandosi eccessivamente dalla riva. Mentre Steph mi informava sullo svolgimento dei fatti e mi rendeva partecipe del salvataggio, non avevo più nemmeno la forza di rimproverare Eddie o di ringraziare Adam. Quindi oltre a essere una sorella incosciente ero anche un'ingrata.

«Adam... grazie...» Ecco. Lo avevo fatto. Che altro dovevo dire?

Adam sollevò lo sguardo verso di me. Era ancora inginocchiato accanto a Eddie che abbastanza velocemente stava riprendendo a respirare regolarmente.

«Tranquilla... solo un po' di spavento e qualche sorso d'acqua bevuta.» Si alzò mentre le persone intorno a noi defluivano e tornavano tranquillamente al loro posto. Io non riuscivo ancora a identificare il mio. Adam mi posò la mano sulla spalla. Strinse leggermente gli occhi azzurri con aria preoccupata. «Bonnie, tu sembri stare peggio di lui... Sei pallidissima. Bonnie...»

Non compresi il resto delle sue parole. Riuscii a percepire solo il contatto delle sue braccia intorno al mio corpo e poi più nulla.

Ero stata talmente brava da riuscire a svenire per la prima volta nella mia vita. Un calo di pressione probabilmente, avevo sentito dire da chi mi stava intorno. Avevo bisogno di zuccheri. Alla pessima figura si era aggiunto l'imbarazzo di essere portata a casa in braccio, anche se mi ero ripresa immediatamente. E pensare che solo pochi minuti prima ero intenzionata a fuggire, a camminare fino a varcare i confini di questa città, di questo paese, di questo universo.

Mi ero dovuta quindi impegnare per convincere prima Stephanie e Adam, poi i nonni che stavo bene. Mi ero solo spaventata un po' per Eddie che, invece di essere tramortito dal rischio che aveva appena corso, se la rideva beatamente alle mie spalle e si era subito avviato verso il Luna Park insieme a Dennis. Erano diventati un mostro a due teste quegli infidi ragazzini. Adam mi aveva trasportata a casa in braccio e loro non avevano fatto altro che prendermi in giro per tutto il percorso. Li avevo detestati. E avevo detestato anche Adam che non aveva voluto sentire ragioni, anche se io assicuravo di essere perfettamente in grado di stare in piedi e camminare.

«Sto bene. Lasciatemi soltanto dormire un po' e fra poco starò meglio...»

Non avevo affatto sonno, ma sarebbe stata un'ottima ragione per liquidarli tutti in un colpo solo appena distesa sul letto in camera.

Cercai di non incrociare lo sguardo di nessuno temendo che mi leggessero negli occhi qualcosa che nemmeno io sapevo come definire, inquadrare. Appena mi lasciarono sola mi ritrovai al buio con le lacrime che mi inondavano il viso e che non ero più in grado di controllare.

CAPITOLO 15

«Clayton arriverà oggi!»

Il mio non risveglio, perché non mi ero comunque addormentata, era stato accolto da questa comunicazione da parte di Stephanie.

«Ah... fantastico...»

Non riuscii a colmare l'abisso che si era creato tra le parole e il tono di voce con cui le avevo pronunciate. Dovevo proprio aggiungere altro?

«Come ti senti, Bon? Stavo pensando...» Stephanie si sedette sul bordo del letto inclinando leggermente la testa, come a scrutarmi meglio. In quel momento mi diede per un attimo l'impressione del lupo pronto a sbranare la nonna di Cappuccetto Rosso. «Ecco, io stavo pensando che tu potresti tenerlo un po' impegnato...»

Un po' impegnato? Non osavo chiederle in che senso "impegnato". La guardai in silenzio e restando completamente immobile. Non avevo nemmeno la forza di cambiare espressione.

«Intendo dire che se tu intrattenessi un po' Clay magari non ci resterebbe troppo male.» Era impazzita? Cosa le faceva credere che Clayton Stone avrebbe voluto essere "intrattenuto" da me? «Magari se ti mettessi un po' più carina, con uno dei miei vestiti...»

Sì, era impazzita. Probabilmente un colpo di sole. E pensare che quella svenuta ero io!

«Assolutamente no! Scordatelo, Steph. Io non terrò impegnato proprio nessuno!»

E non volevo più sentire ragioni, questa volta. Non mi avrebbe convinta. Nemmeno usando tutte le sue arti, le sue faccine tenere e i suoi ricatti morali. Ed era bravissima in questo. La migliore.

«Perché no? Che cosa ti costa?» Stephanie sbuffò con espressione corrucciata. «Alla fine può essere divertente... Non mi dire che non hai mai fatto un pensierino su Clay? Sarebbe impossibile, tutte le ragazze della scuola hanno fatto pensierini su Clayton! E ti posso assicurare che li vale davvero tutti!»

«Anche se non l'avessi mai fatto, mi ci stai obbligando tu adesso! Comunque di nuovo no, Steph. Questa volta mi dispiace, ma...» Basta subire! Stava già mettendo in campo il suo tipico atteggiamento da vittima delle circostanze avverse. «Le persone non sono oggetti, Stephanie. Nonostante tu abbia sempre creduto il contrario.»

Ecco, lo avevo detto. E non ero nemmeno pentita.

Rimase in silenzio per un po'. Non capivo se stava riflettendo sulle mie parole o meditando su come rispondermi adeguatamente.

«Alla fine è tutto un gioco, Bon. Perché non te ne vuoi accorgere? Continui a limitare te stessa pensando cosa sia giusto fare e cosa no… Quando dovresti vivere e basta. E divertirti il più possibile! Anche l'amore è un gioco, soprattutto adesso.»

L'aveva rigirata a modo suo. E la conclusione assurda ma reale era che io stavo meditando sulle sue parole, non il contrario. L'amore era davvero un gioco? Forse aveva ragione lei e sbagliavo io. Forse la vita stessa era un gioco. Ma cosa ne sapevo in fondo io dell'amore? E della vita?

«Sai che ti dico, Bon? Dovresti davvero iniziare a uscire con qualcuno invece di reprimerti e startene sempre in casa, chiusa nei tuoi maglioni enormi. Perché non inizi con Clayton?»

Certo, per lei era tutto semplice. Un gioco, appunto.

Le voltai le spalle rifiutando di proseguire oltre il discorso. Rifiutai di tornare in spiaggia. Rifiutai anche di uscire. Con la promessa di pensarci rimasi di nuovo sola. Ma in realtà non avevo nulla da pensare. Non volevo uscire con Clayton. Non volevo intrattenerlo o "fare pensierini" su di lui. Poi chi mi assicurava che lui sarebbe stato d'accordo? Questo mi suggeriva la mia vocina interiore. Lui era abituato a… Insomma, non facevo parte del suo standard di ragazze da frequentare. E comunque… Ripensai alla scena a cui avevo assistito qualche mese prima, tra Clayton e Lesley. Mio malgrado non riuscii a impedirmi di immaginare come sarebbe stato. Essere baciata da lui, toccata da lui come aveva fatto con Lesley.

Mi posai una mano sulla fronte. In fondo sarebbe stato meglio uscire a prendere un po' d'aria. Tutta colpa di Steph! Mi faceva pensare a cose che da sola non avrei mai nemmeno preso in considerazione. Clayton Stone. No, impossibile. Era una follia!

Forse era il caso di tornare a rintanarmi nella casa dei fantasmi. Per escludere definitivamente dalla mia vita e dalla mia mente l'idea di persone reali troppo al di là delle mie possibilità, dei miei confini.

Aspettai che Stephanie fosse uscita da un po' di tempo prima di provare a ricompormi. Davanti allo specchio appeso alla parete della stanza mi scrutai attentamente. Avevo un aspetto anonimo. Ravvivai i capelli in modo tale da farli ricadere su entrambe le spalle. Truccarmi, vestirmi come Steph, come le altre… Cercare di attrarre Clayton Stone per baciarlo come aveva fatto Lesley? Sarebbe servito a qualcosa? Avrebbe cambiato l'aspetto riflesso nello specchio? Sicuramente sì. Ma avrebbe cambiato anche quella che io vedevo davvero, oltre quel riflesso?

No, assolutamente. Sarei stata sempre io. Sotto al vestito, dietro al trucco mi sarei riconosciuta. E mi avrebbero riconosciuta anche gli altri, anche Clayton Stone, rimettendomi al mio posto senza appello. I miei jeans, la mia maglia sformata, i capelli raccolti nella mia comoda e confortante coda. Questa ero io.

E così com'ero mi decisi ad affrontare il mondo, di nuovo. Non me la sentivo di raggiungere gli altri in spiaggia. Stephanie, Adam, magari anche i suoi amici che trascorrevano i pomeriggi appostati sulla riva. No, meglio evitare i loro sguardi di commiserazione. Ero svenuta e Adam mi aveva portata a casa in braccio. Meglio non tornare subito sul luogo della vergogna!

Dopo aver rassicurato la nonna sulle mie condizioni e averle promesso che avrei raggiunto gli altri in spiaggia mentendo spudoratamente, mi avviai indecisa sulla mia destinazione tra il centro e il Luna Park. Magari avrei potuto dirottarmi verso la biblioteca. Mi sembrava un ottimo espediente per nascondermi dal resto del mondo.

«Buona giornata, Bonnie. Spero che tu stia meglio ora.»

L'uomo che mi salutò a pochi passi dall'edificio stava percorrendo la mia stessa strada. Identificai solo dopo qualche istante il padre di Adam. Non ero abituata a vederlo in un luogo che non fosse il Luna Park.

«Buongiorno. Sto bene, grazie.»

La mia pessima figura era giunta fino a lui, quindi? Ottimo!

Non sapevo se accelerare il passo verso la biblioteca oppure continuare a camminare accanto a lui, anche se l'idea mi faceva sentire a disagio. Cosa ci andava a fare in biblioteca? Era davvero quella la sua direzione? Ovviamente non erano affari miei.

Mi guardava come se fosse sul punto di dire qualcosa. Sembrava quasi in imbarazzo, intimidito e io non ne comprendevo il motivo. Da quanto rammentavo non era mai stato un uomo molto socievole. Gli occhi azzurri e l'espressione assorta mi ricordarono Adam. Doveva somigliargli molto alla sua età.

«Avrei bisogno di parlare con te, Bonnie.»

Come? Avevo sentito bene? Cosa poteva volere Steve Comte da me? Increspò le labbra e mi squadrò ancora. Mi sentivo sempre più confusa, indagata. Ormai ci eravamo fermati entrambi. Lo fissai perplessa prima di annuire.

«Non sono d'accordo con la decisione di Adam di entrare in marina. Non fa per lui, non è la sua vita. Qualunque cosa cercherà di ottenere, non ci riuscirà.»

Registrai le sue parole cercando di dare un senso a quello che mi stava comunicando. Il pensiero immediatamente successivo mi indusse a chiedermi perché. Perché lo stava dicendo a me? In ogni caso Steve non mi diede il tempo di replicare.

«Adam deve portare avanti il Luna Park, deve aiutarmi a salvarlo prima che sia troppo tardi. Per me, per sua madre... e per se stesso! Non deve, non può lasciare tutto per un capriccio!»

Di nuovo non potei fare a meno di chiedermi perché lo stesse raccontando proprio a me.

«Ma se… è quello che lui vuole…» bisbigliai appena.

In realtà dentro stavo urlando. Chi era lui per impedire a suo figlio di fare una scelta? Era la sua vita… e almeno Adam, a differenza di me, sapeva esattamente cosa voleva ottenere.

«No, in realtà non è quello che vuole. Lo sta facendo contro di me, per farmela pagare. E io non posso fare niente per fermarlo. Invece tu puoi convincerlo a non andarsene…»

Io? «Ma io…» Cosa avevo a che fare io con la decisione di Adam? «No, io non posso. Cioè non…» Convincerlo a non andarsene? Ma cosa potevo fare o dire io per fargli cambiare idea? E soprattutto cosa faceva pensare al padre di Adam che io sarei riuscita a trattenerlo? «Voglio dire, ormai ha preso la sua decisione… io non ho questa influenza su Adam e poi non mi ascolterebbe comunque.»

«Sì, invece. Ne sono sicuro, Bonnie.» Non avevo notato fino a quel momento quanto il volto del padre di Adam fosse diventato affilato e severo, cupo. Non era più l'uomo sereno e tranquillo che ricordavo da bambina, al contrario si era trasformato in un uomo che si trascinava dietro la sua sofferenza, come una seconda pelle di cui non intendeva comunque disfarsi. «Adam ha grande interesse per te e per la tua opinione. Se tu gli chiedessi di non partire... ti ascolterebbe, certo che ti ascolterebbe!»

CAPITOLO 16

Aveva sbagliato persona. Decisamente. Forse non avrei dovuto dirlo con un tono così secco e sprezzante, ma Steve Comte mi aveva davvero spazientita. Non accettava la decisione del figlio per puro egoismo e si aspettava che io cercassi di influenzarlo perché portasse avanti una vita che lui gli aveva scelto.

Dopo averlo salutato frettolosamente ero corsa all'interno della biblioteca. Sentivo la rabbia salirmi dal petto fino a soffocarmi. Io non ero come gli altri. Soprattutto io non ero come Stephanie, come mia madre, come il padre di Adam. Io non cercavo di condizionare le scelte e la vita di altre persone. Quindi non avrei nemmeno tentato di convincere Adam, per nessun motivo.

Invece, per assurdo, mi ero decisa ad acconsentire alla proposta di Stephanie. Non quella di "intrattenere" Clayton, assolutamente no. Ma provare a lasciarmi vestire e truccare da lei. Solo per avere la prova tangibile che tutta quella roba non avrebbe mai funzionato su di me ed essere così libera di poter tornare tranquillamente la Bonnie di sempre.

Appena le avevo comunicato la novità, Steph aveva dato il via alla selezione dei vestiti. Avevamo più o meno la stessa taglia anche se lei era leggermente più formosa. Cioè… aveva le forme nei punti giusti, dove a me mancavano.

Quindi mi ritrovai con addosso un vestitino tinta pastello tendente all'arancione smunto, con un accenno di manica perché avevo rifiutato categoricamente i suoi prendisole scollati. Morbido sui fianchi, detestavo sentirmi comprimere le cosce e il fondoschiena nei suoi vestiti attillati. Una volta truccata mi ero mangiata il rossetto per tre volte e dovevo resistere alla tentazione di non sfregarmi gli occhi. Poi mi aveva sciolto i capelli. Il sole li aveva schiariti leggermente e insieme al vestito e al trucco mi davano un aspetto più luminoso e vivace, meno cadaverico.

Bene, avevamo fatto una prova. Ora meglio dimenticare.

«Ok, è stato divertente.»

Per modo di dire. Riafferrai i miei jeans appoggiati sul fondo del mio letto, pronta a infilarmeli sotto al vestito.

«Cosa credi di fare, Bon?»

Steph mi si piazzò di fronte con le mani sui fianchi.

«Torno in me, Steph. Devo solo riuscire a…»

Mi sollevai il vestito cercando di capire da che parte sfilarlo. Dalla testa? No, forse era meglio dai piedi.

«Non ci pensare proprio, Bon. Adesso noi due usciamo! Fra poco Clayton sarà qui e…»

Non fece in tempo a concludere la frase. Venne bloccata dall'entrata in scena di mio fratello sulla porta, come al solito entrato senza che l'idea di bussare lo sfiorasse minimamente. Il perfido nanerottolo prima mi rivolse uno sguardo allibito, incredulo. Poi scoppiò a ridere. Talmente forte da non riuscire quasi a riprendere fiato.

«Oddio... ma come ti sei conciata? Sembri un... un ghiacciolo scaduto all'arancia... anzi no, sembri una meringa vestita a festa...»

«Stronzo! Vieni qui brutto nano malefico... vieni qui che ti affogo io questa volta!»

Eddie era filato via come un lampo, ma non l'avrebbe passata liscia. Come si permetteva poi di entrare in camera nostra così? Gli avrei fatto passare il vizio, una volta per tutte!

Lo rincorsi giù per le scale. Gli avrei fatto passare anche la voglia di fare il buffone. Poi... una meringa vestita a festa? Ma come... come si vestivano le meringhe a festa? Sfrecciai di fronte a mia nonna e poi dietro a Eddie verso l'ingresso. Per ritrovarmi quasi addosso a qualcuno che sostava proprio nell'atrio. No, non qualcuno a caso. Clayton Stone.

«Ecco, ero entrato ad avvisare che era arrivato coso... coso, come ti chiami?» Eddie, senza smettere di ridere, era poi andato a rifugiarsi dietro alla nonna che ci aveva raggiunti.

«Clayton…»

Clayton si passò la mano tra i capelli accennando un sorriso forzato, poi mi squadrò da capo a piedi aggrottando serio la fronte e stringendo gli occhi. Bello come sempre, con i jeans scuri e la camicia azzurra che dava pieno risalto alle sue spalle e alla sua muscolatura, ma decisamente infuriato.

Mio fratello lo aveva chiamato "coso". Ecco, anche se avessi voluto "intrattenerlo" come suggerito da Steph, ora Eddie mi aveva distrutto tutte le possibilità.

«Mi dispiace…» Non sapevo cosa dire esattamente. «Io sono Bonnie.»

Tra tutte avevo scelto la peggiore. Non era così idiota da non riconoscermi.

«Sì, lo vedo. In una versione inedita ma ti ho riconosciuta, Bonnie.»

«Mmh… comunque salgo subito a chiamare Steph…»

Cercavo di togliermi di mezzo il più rapidamente possibile. E di togliere di mezzo anche la "versione inedita" di me stessa. Tutto inutile perché nel frattempo Steph era scesa e ci stava raggiungendo.

«Sei arrivato…» La voce esageratamente dolce di Stephanie mi colpì alle spalle. «Perfetto, possiamo andare a fare un giro allora.»

Coinvolse anche me nella proposta. Io avrei voluto nascondermi da qualche parte e uscire solo alla fine di tutto. Alla ripartenza di Clayton, magari.

«Io salgo a cambiarmi... e a mettermi le scarpe...» Ero scalza. Rincorrendo Eddie non ci avevo pensato.

«Eccole!» Stephanie reggeva tra le dita di una mano un paio dei suoi sandaletti legati con i lacci che si intrecciavano sulla caviglia. Avrei potuto ucciderla, seriamente. «Mettili e andiamo.»

La nonna mi lanciò uno sguardo meravigliato e incoraggiante. Tutti erano contro di me, ormai. Quindi mi ritrovai fuori casa con Steph, Clayton e mio fratello, diretto al Luna Park dove doveva incontrarsi con Dennis. Steph nel frattempo aveva detto a Clay di aver bisogno di parlargli da sola. Io restavo lì nel mezzo. Non mi restò altro da fare che seguire quello stronzetto di Eddie mentre Steph si avviava verso la spiaggia insieme a Clayton.

Cosa gli avrebbe detto? Che fra loro era finita, probabilmente. Che aveva incontrato un altro. Adam. A quel punto speravo che Clayton se ne andasse via senza creare problemi. Forse mi illudevo.

Adam sostava davanti al tiro a segno, di spalle. Stava controllando uno dei fucili. Senza volerlo mi immaginai uno scontro a fuoco tra lui e Clayton. Tipo Far West. Per la conquista di Stephanie. Sospirai passandomi una mano sulla fronte.

Quando io e Eddie lo affiancammo, si voltò verso di noi e restò per un attimo in silenzio. Il suo sguardo mi percorse fugacemente prima di tornare al mio viso su cui si soffermò in modo curiosamente ostinato.

«Ehi… Treccine, sei…»

«Ridicola, lo so. Non aggiungere altro, per favore.»

«Una meringa vestita a festa!» Sghignazzò Eddie, sovrapponendosi a me. «Perché è arrivato coso si è conciata così…»

«Ma io ti affogo davvero allora!»

Mi rigirai di scatto cercando di raggiungerlo con un calcio. Rischiai invece di perdere l'equilibrio con quei sandaletti bassi ma poco stabili e mi aggrappai al bancone.

«Non stai nemmeno in piedi e poi hai paura dell'acqua, fifona! Meringa vestita a festa e fifona…»

Eddie schizzò via con Dennis, sopraggiunto dal retro del bancone. Inutile cercare di rincorrerlo per fargliela pagare. Lo avrei punito adeguatamente più tardi.

«È orribile. Un ragazzino odioso, un piccolo verme!» Strinsi i pugni mordendomi forte le labbra. «Sembro davvero…»

«Una meringa vestita a festa? Non saprei, non ne ho mai vista una…» Adam incrociò le braccia inclinando leggermente il viso. Mi percorse nuovamente con lo sguardo, come a studiare il mio nuovo aspetto. «So che le meringhe sono molto dolci, però.»

«Io le detesto!»

Mi sentivo fuori luogo, fuori contesto. Fuori da tutto ciò che ero sempre stata io.

«Stai molto bene, comunque. Anche se non capisco il cambiamento.»

Adam appoggiò il fucile e si rigirò appoggiando la schiena al bancone.

«Un'idea di Steph.» Per farmi "intrattenere" Clayton Stone che sta mollando in questo preciso istante a causa tua. Evitai di aggiungerlo.

«Bonnie... so che mio padre ti ha parlato.»

Il tono e lo sguardo di Adam si fecero improvvisamente seri. Non c'era più ironia né divertimento nei suoi occhi azzurri. Solo un muto, gelido rancore.

«Io... non sono d'accordo. Insomma, io credo che tu...»

Non ero pronta ad affrontare discorsi seri. Non abbigliata così, soprattutto. Come una meringa vestita a festa.

«Vuole costringermi a restare. Userebbe qualunque mezzo, anche te.» Scosse la testa e abbassò lo sguardo. Io mi sentii ancora più inutile. «Oltretutto non ho nemmeno finito il liceo, ho interrotto gli studi, quindi sarò solo un volontario per il momento. Ovviamente, ho frequentato più scuole io in questi ultimi due anni...» Lasciò il discorso in sospeso con un sospiro nervoso.

Vidi la sua mascella contrarsi per un'ira che stava trattenendo a fatica. «Alla fine non ci sono più andato. Sarebbe stato inutile. Quindi non avrò una vera carriera militare, sarò solo...»

Si strinse nelle spalle. Non sapevo questo. Anzi, io non sapevo proprio nulla. Come avrei potuto del resto?

«Adam, forse...»

Compresi che suo padre non aveva tutti i torti. La decisione di Adam non era stata spontanea né ponderata. Era contro di lui. Dettata dalla rabbia. E forse anche contro se stesso.

«Non ti preoccupare, mi dispiace solo che mio padre ti abbia messa in mezzo. Dimmi un po', treccine... è arrivato? Sapevo che sarebbe stato oggi e tuo fratello ha detto che è arrivato "coso"...»

Improvvisamente Adam ritrovò il sorriso e mi strizzò l'occhio divertito. Come se avesse voluto liquidare del tutto e in modo irrevocabile il discorso precedente. Compresi subito di chi stesse parlando, prima che citasse il soprannome che Eddie aveva attribuito a Clayton, però io non ci trovavo proprio nulla da ridere.

«Steph gli sta parlando proprio ora sulla spiaggia. E non c'è nulla di divertente, Adam. Anzi, dovresti nasconderti prima che gli venga voglia di riempirti di botte!»

«Credi davvero che ce ne sarà bisogno?»

Fece una smorfia mostrandomi i muscoli.

«Non lo so. Ma è più grosso di te, credimi. E poi vi ci vedo, prendervi a pugni per Stephanie. Non sarebbe nemmeno la prima volta.»

Mi appoggiai con i gomiti al bancone e puntai il dito contro il bicipite di Adam simulando un'aria impressionata.

«Da che parte starai tu, treccine?»

Posò una mano sulla mia testa costringendomi a guardarlo negli occhi mentre avvicinava il viso al mio.

«Non è di me che dovresti preoccuparti. L'importante è da che parte starà Steph. E io credo che starà dalla tua visto che mi ha abbigliata come una meringa vestita a festa allo scopo di "intrattenere" Clayton.»

Continuavo a definirmi allo stesso modo in cui mi aveva chiamata Eddie. Forse perché tutto sommato mio fratello non aveva torto, incominciavo a sentirmi veramente così. Una meringa offerta a Clayton Stone come consolazione, come rimpiazzo oppure offerta di pace.

«È davvero quello che vuoi, Bonnie?»

Adam rilasciò il muscolo e il braccio gli ricadde lungo il fianco.

«Prima o poi dovrò uscire con qualcuno. Perché non Clayton?» Che risposta era? Quella che mi aveva dato Stephanie. Quindi… mi definivo come aveva fatto Eddie, rispondevo con le parole di Steph. Qualcosa che poco prima mi aveva fatta arrabbiare ora mi stava bene?

«Comunque, vado a casa a cambiarmi. Non credo che lui sia interessato. Io... mi sento davvero ridicola così. I rifiuti preferisco subirli con il mio consueto abbigliamento.»

Ero scappata via, prima di lasciargli il tempo di rispondere. La verità era che nemmeno volevo sapere cosa avesse da dire. In fondo la sua opinione in proposito, sempre che ne avesse una, non mi riguardava.

CAPITOLO 17

Non mi restava altro da fare, soltanto sperare che Clayton decidesse di andarsene. Prima o dopo aver spaccato la faccia ad Adam. Nemmeno quello mi riguardava. Volevo solo starmene in pace e tornare me stessa. Sforzarmi di restare me stessa il più a lungo possibile, senza drammi sentimentali altrui con cui essere obbligata a confrontarmi. Le lettere andavano bene. Una mia attiva e reale partecipazione alla vicenda invece no, decisamente no.

Stephanie rientrò pochi minuti dopo che io ero finalmente tornata me stessa, ripulendomi anche il viso da quella maschera assurda. Non osai interrogarla e attesi che mi comunicasse l'esito della sua conversazione con Clayton. Pregando tra me che fosse quello da me auspicato.

«L'ho convinto a restare. Tanto starà comunque un po' di giorni al camping con i suoi amici, quindi...» Ecco, come non detto! «Perché ti sei cambiata?»

«Non ha molto senso, Steph.»

Anzi, era totalmente assurdo. Da seduta mi stesi sul mio letto appoggiandomi sui gomiti. Al mio fianco l'abitino che avevo appena tolto per ritornare nei miei jeans, nella mia maglietta larga e comodissima. Sembravo quasi essermi sdoppiata in due persone diverse. Anzi, era come se un'altra personalità avesse improvvisamente iniziato ad abitare il mio corpo e io non sapessi più quale parte interpretare.

«Siamo d'accordo per un'uscita a quattro. Io, te, Adam e Clayton» ridacchiò entusiasta.

Perché avevo la sensazione che tutti trovassero la situazione normale e addirittura divertente, tranne me? Ero davvero così fuori dal mondo, fuori da ogni regola?

Lanciai un'occhiata al vestito, a quello che mi aveva resa una meringa insomma. Perché non prendeva davvero vita e non usciva lui con gli altri tre?

«Non mi rimetto addosso quello.» Stabilii decisa. Come una stupida. L'uscita stessa avrei dovuto rifiutare a priori, non tanto il vestito da indossare. «E non ho intenzione di intrattenere Clayton Stone, quindi non ti inventare giochetti per farmi restare sola con lui...»

Indirettamente avevo appena dato il mio consenso alla serata più ridicola della mia vita. Stephanie, bella tra le belle, con i suoi due pretendenti e io ormai vittima di una doppia personalità che non riuscivo più a contrastare e di cui non sapevo come liberarmi.

Steph per la serata aveva sfoderato un abito rosso che lasciava davvero pochissimo spazio all'immaginazione. Io non avevo voluto sentire più ragioni riguardanti abito, moda e cosmetici. Jeans e maglietta azzurra meno informe del solito, unica concessione. Anzi no, come altra concessione avevo lasciato i capelli sciolti tirandoli indietro solo con una molletta laterale.

Dopo una discussione infinita sul film che saremmo dovuti andare a vedere, animata in realtà solo da Steph, decidemmo di lasciar perdere e di andare a mangiare qualcosa. Non avevo fame, avevo lo stomaco chiuso. Presi infine solo delle patatine e un gelato che mangiai senza assaporarne il gusto.

I due ragazzi parlavano appena senza nemmeno guardarsi in faccia. Perché Adam aveva acconsentito a quella farsa? E perché Clayton aveva subito la decisione di Steph senza reagire? Non li capivo. Ma non capivo nemmeno me stessa, era la parte peggiore di tutta questa storia assurda. Eravamo tutti completamente dominati dalla personalità di Stephanie, succubi di lei. Era lei a stabilire tutto per tutti, era sempre lei a dettare le regole: chi, cosa, quando, dove, perché.

Infine, il Luna Park. E come se non ci fosse stato limite al peggio, ruota panoramica. Stephanie con Adam e io insieme a Clayton. Me ne stavo rintanata il più possibile nell'angolo cercando di evitare il minimo contatto fisico con lui. Non guardavo giù per timore delle vertigini, non guardavo intorno per il disagio. Guardavo avanti oppure abbassavo gli occhi ad osservare le mie ginocchia che mi accarezzavo nervosamente con le mani. Avrei voluto tornare indietro.

Alle lettere. Stavo bene io con le lettere. Non ero mai compromessa anche se tutti sapevano che le scrivevo io. Non mi facevano sentire così sola, così persa. Così inadeguatamente esposta.

«Tutto bene?»

Clayton mi tamburellò sulla spalla con un dito.

«Sì, certo.»

Fui costretta a rivolgergli un'occhiata. Ma come poteva accettare tutto così tranquillamente? Era davvero così? Non che mi fossi mai preoccupata di sapere come fosse prima, ma... insomma accettava di essere scaricato senza batter ciglio?

«Avevo già intenzione di lasciare Stephanie nel caso te lo stessi chiedendo. Stavo solo cercando il modo più adatto, prima di tornare a scuola, quindi...»

Ah bene, mi aveva letto nel pensiero. Oppure la mia espressione era stata troppo palese, trasparente.

«Sì, come no...»

Orgoglio maschile ferito. Finta indifferenza. Far passare l'abbandono come una sua scelta spontanea. Certo.

«Puoi anche non credermi.» Clayton si piegò verso di me. Cercai di muovermi ma non trovai spazio tra lui e la parete della piccola cabina in cui eravamo costretti. «Ma ero venuto proprio per chiudere con lei. Avevo altri progetti per l'estate.»

Improvvisamente sentii qualcosa sfiorarmi il collo. Non compresi all'inizio di cosa si trattasse. Poi mi accorsi che erano le sue dita che risalendo mi stavano accarezzando piano la nuca. Qualunque cosa si fosse messo in testa, dovevo fermarlo.

«Ascoltami Clayton Stone, sentimi bene. Ma proprio bene. Io non sono un progetto per l'estate. Quindi se hai altri posti dove mettere le mani... ecco, è il momento di utilizzarli...»

Stavo fremendo, come una cretina. Anzi, ero proprio una cretina. Ma era una situazione irreale. Io e Clayton Stone? No, era una situazione fuori dal mondo. Nemmeno nel più perverso e contorto universo parallelo sarebbe potuto accadere!

«Qualche suggerimento per caso?» Lasciò volutamente cadere lo sguardo sul mio seno. I suoi occhi castani divennero più intensi. Maledissi la mia maglietta azzurra, più attillata del solito. Anche se obbiettivamente c'era ben poco da guardare lì. «Non avere paura, non ho intenzione di mangiarti. A meno che non lo voglia anche tu.»

Dovevo riflettere. Riflettere attentamente su cosa dire, cosa fare. Ma il mio cervello non era intenzionato a collaborare. Avevo caldo. E i brividi allo stesso tempo. Ripensai alla scena tra Clayton e Lesley. Volevo scendere da lì. Decisi infine di starmene ferma e zitta in attesa che l'agonia avesse fine. Insomma, il giro sulla ruota panoramica. Ci ritrovammo al tiro a segno. Dove visualizzai nuovamente uno scontro a fuoco tra Adam e Clayton. Steph propose invece un giro sulle montagne russe, ma io rifiutai sdegnosamente. Convinta che si sarebbe trascinata Adam, come sempre, lasciandomi sola con Clayton. Almeno non mi sarei ritrovata nuovamente con lui in uno spazio ristretto e sospesa nell'aria.

Ma stranamente le parti si invertirono perché Adam rifiutò di salire, Clayton al contrario acconsentì. E io rimasi sola con Adam. Sempre più perplessa a proposito della situazione che si era creata. Sempre più insofferente del ruolo che mi era stato cucito addosso e imposto di interpretare.

CAPITOLO 18

«Vuoi lo zucchero filato mentre aspettiamo?»

Impiegai un po' a interpretare il senso di una domanda così semplice.

«Se a te va...» Non mi piaceva lo zucchero filato, lo avevo sempre trovato troppo dolce e appiccicoso.

«No, vedo che fa schifo anche a te!» Ah bene, un altro che mi leggeva nel pensiero. «Hai una faccia davvero schifata, treccine.»

«Mmh...» Mi morsi le labbra. Avevo perso completamente il senso della realtà, di quello che stava accadendo alla mia vita, alle mie abitudini. «Adam...»

«Sei proprio sicura di voler andare avanti con quel tipo? Nel senso che... non mi sembra sia adatto a te. Lui è troppo...»

Cosa voleva dire? E soprattutto... cosa voleva da me?

«Cosa intendi esattamente, Adam?» Sentii la tensione sciogliersi gradualmente e poi rimontare tutta insieme, in uno scatto d'ira trattenuto troppo a lungo. Iniziai a gesticolare agitando convulsamente le braccia. «Troppo popolare? Troppo affascinante per me? Sai una cosa, Adam? Tu puoi andare a...»

Mi girai di scatto per impedirmi di proseguire e iniziai a camminare. Lo avrei insultato. Avevo una grande voglia di insultarlo. Forse non lui, ma qualcuno a caso. Magari anche me stessa, ecco soprattutto me stessa. Volevo andare a casa. Comunque via da lì, da quella situazione troppo stretta in cui mi sentivo ormai schiacciare, comprimere.

«Troppo volgare tendente al mediocre per poterti comprendere, treccine. Non ti capirebbe.»

La sua risposta mi colpì. Mi fermai. Non per rispondergli, ma per assimilarla e rendermi conto di aver sentito davvero quello che aveva appena detto.

«Potrebbe anche piacermi non essere compresa.»

In effetti, era vero. Sarebbe stato più semplice. Mi voltai verso di lui, stringendomi nelle spalle. Che senso aveva la sua domanda? E Stephanie... lei lo capiva davvero?

«Intendi davvero uscire con uno che la tua amica ti ha rifilato per liberarsene?»

Gli occhi di Adam mi indagavano, mi confondevano senza concedermi tregua.

«Stephanie ha dei problemi. Io voglio solo aiutarla. Non credo che tra me e Clayton...»

«Perché, Bonnie?»

Qualche passo e Adam fu di fronte a me. Mi afferrò per le spalle. Sentii il cuore perdere un colpo, senza capire perché. Mi sforzai di ricompormi ma mi tremavano le mani... avevo paura, ma di cosa esattamente?

«Perché no... perché...»

Perché che cosa? Cercai di fare un passo indietro ma lui trattenendomi non me lo permise. Così rimasi immobile di fronte a lui, senza riuscire a divincolarmi dalla sua stretta.

«Faresti la stessa cosa se si trattasse di me?»

Non riuscivo più a capire. Cosa intendeva? Perché interferiva?

«Tu stai con Steph. Comunque, sarebbe diverso...» Cercai di riprendere il controllo con un sospiro profondo e dare la giusta interpretazione alle sue parole. Anzi, quella che al momento appariva più conveniente per me e per la mia situazione. «Però se potessi sì, aiuterei anche te.»

«Non intendevo questo, Bonnie. Io intendevo...» Lo vidi sospirare e poi mordersi le labbra nervosamente. «Se lei... se ti avesse chiesto di uscire con me invece che con quello... per liberarsi di me. Tu lo avresti fatto?»

Che domanda assurda, insensata.

«Adam, Steph non ha nessuna intenzione di lasciarti, stai tranquillo. Vuole stare con te, non con Clayton. Io lo so, me lo ha detto. Quindi non c'è pericolo.»

«Io e Stephanie non stiamo insieme, Bonnie. Se lei ti ha detto il contrario, si sbaglia. Siamo amici, mi piace stare con lei ma non...» Adam staccò una mano dalla mia spalla, per un attimo la sollevò, sembrava indeciso se posarla sulla mia testa o forse sul mio viso. Poi invece con un gesto rapido si allontanò il ciuffo dagli occhi. «Non sarà mai la mia ragazza, non davvero ecco.»

«Anche Clayton non lo era davvero. E forse nemmeno Anthony.» Perché gli stavo raccontando cose che comunque non lo riguardavano? E non riguardavano nemmeno me in fondo. Non era mia intenzione spingerlo a dubitare di Steph, però... «Stephanie ha quello che vuole, sempre... Io la conosco da tanti anni, lo so per esperienza. Ha avuto anche te, infatti. Non è stato poi così difficile.»

La nostra conversazione non stava portando da nessuna parte. Lo avevo capito dall'inizio, da quando eravamo rimasti soli. Forse sarebbe stato meglio restare con Clayton. Cosa voleva Adam da me? Aveva risposto alla lettera di Stephanie, del resto. Cioè alla mia lettera da parte di Stephanie.

«Insomma, Bonnie. Sei stata tu a volerlo, o no?»

Era tornato ad afferrarmi per le spalle, lasciando però scivolare le mani lungo le mie braccia, fino ai polsi. Ancora più vicino, riuscivo a sentire il suo respiro sul viso.

«No, Adam. Sei tu che...»

Abbassai lo sguardo. Non potevo dirgli che ero stata io a scrivere quella lettera. Anche se non avrei voluto nel suo caso, ormai era diventata un'abitudine. Non potevo confessargli quello che facevo da anni. Scrivere lettere per altri, vivere di esperienze riflesse, di sentimenti non del tutto miei. Rifiutare questa volta avrebbe significato indurre Stephanie a credere che io... Comunque Steph avrebbe vinto in ogni modo, con o senza la mia lettera. Perché era Stephanie Lindbergh. Lei vinceva sempre. E io restavo io. La solita inconcludente Bonnie Meisel, una ragazza fuori moda che viveva la vita degli altri.

Tornati Stephanie e Clayton avevano deciso di provare a sfidare la sorte al tiro a segno. Io dovevo solo essere forte e farmi passare quella strana sensazione di smarrimento e tristezza da cui mi ero sentita inondare dopo il contatto con Adam, quando aveva afferrato le mie spalle per poi scendere ad accarezzarmi le braccia, le mani. Al loro arrivo si era staccato da me. O forse io da lui.

Clayton aveva sbagliato due colpi ma era comunque riuscito a vincere per me un orso enorme. Bianco e dal muso simpatico, con un grande fiocco blu legato al collo. Adam, nonostante l'esperienza accumulata da anni, non aveva azzeccato un colpo. Sembrava quasi essersi proposto di mancare i bersagli intenzionalmente. Solo un colpo andò a buon segno, quasi per sbaglio.

«Mi dispiace, non è la mia serata fortunata.» Si strinse nelle spalle scusandosi con Stephanie per la mancata vincita.

Doveva per forza essere così. Era già bravo da ragazzino, difficilmente sbagliava un tiro. Anzi, mai. L'ultimo anno che ci eravamo visti non ricordavo avesse mai mancato un colpo. Forse era davvero la sua serata sfortunata.

E molto probabilmente era anche la mia. Dalla giostra adiacente mi arrivarono le note di una canzone che non avevo mai sentito prima o forse non avevo mai ascoltato davvero con attenzione, *Almost over You*.

Mentre tutti gli altri intorno a me ridevano e sembravano divertirsi, io non aspettavo altro che quella serata finisse. Che la fastidiosa sensazione di disagio che ormai avevo iniziato a provare e stava diventando fin troppo comune terminasse una volta per tutte. Che l'assurdo timore e l'ansia che mi coglievano alla bocca dello stomaco, causati dalla vicinanza di Adam o forse dalla stranezza della mia nuova condizione di "intrattenitrice" di Clayton, mi passassero per sempre.

Lanciai ad Adam un'occhiata di controllo, sperando che andasse tutto bene. Non volevo che fosse teso o che la presenza di Clayton lo innervosisse. Aveva già abbastanza problemi con suo padre, il Luna Park e la partenza per cercare di entrare in marina. Del resto Steph aveva scelto lui, quindi almeno di questo non avrebbe dovuto preoccuparsi. Ricambiò lo sguardo restando serio e quasi freddo, poi lo distolse immediatamente da me, senza un sorriso.

All'improvviso mi tornò in mente la sua domanda. Cosa avrei fatto io se ipoteticamente Steph mi avesse chiesto di uscire con lui invece che con Clayton? Non volevo chiedermelo, non potevo. Lei era mia amica, forse l'unica che avevo, e io non potevo interrogare me stessa in cerca di una risposta a quella domanda che non mi era stata mai posta seriamente. Perché comunque lei aveva scelto Adam, lei voleva Adam. E qualunque mia sensazione in proposito veniva in secondo piano.

Mi doveva passare. Anzi, mi era già quasi passata. Proprio come continuava a ripetere il ritornello di quella canzone così suadente e così desolante allo stesso tempo, *"Now I'm almost over you, I've almost shook these blues"*, che ormai aveva raggiunto le sue note conclusive. Mi ero quasi tolta di dosso quell'assurda malinconia. Non era accaduto nulla in realtà. Mi era quasi passata. Presto tutto sarebbe tornato a posto, a funzionare come sempre. Me compresa. Davvero, mi era quasi passata.

CAPITOLO 19

«È stata una bella serata, sono contenta che sia andato tutto bene!»

Mi stava prendendo in giro? Giusto per saperlo.

«Sì, non si sono uccisi. Tu ti sei divertita. Sei salita su quasi tutte le giostre. È stata davvero una splendida serata.»

Aveva l'aria a metà tra sognante e inebriata. Dubitavo che si avvedesse del mio tono sarcastico. Stephanie si tolse i sandali con il tacco, che non mi capacitavo come fosse riuscita a tenersi ai piedi tutta la sera, e si sedette compostamente sul suo letto tirando poi su le gambe e piegando le ginocchia di lato perché il vestito rosso troppo stretto non le permetteva di incrociare le gambe.

«Adam mi chiederà di mettermi con lui, di essere davvero la sua ragazza. Magari già domani. E io credo che sia proprio quello giusto per me, questa volta! Me lo sento.»

Io invece sentivo lo stomaco contorcersi come stretto da una morsa crudele e inarrestabile. E un senso di nausea anche. Probabilmente non avevo digerito le patatine e il gelato. Colpa della ruota panoramica forse.

«Cosa ne farai di lui quando accadrà? Quando avrai raggiunto il tuo scopo, intendo... Lo butterai via dopo un po' come hai fatto con Anthony e Clayton?»

Ecco, ero diventata acida e anche un po' cattiva. Lo sapevo, ne ero consapevole mentre pronunciavo quelle parole. Non erano state involontarie, dettate dall'impulso del momento. Ma non mi ero fermata comunque. Anzi, ci avevo quasi provato gusto per una volta.

«Sai che se non fossi tu a dirlo mi offenderei, Bon? Sembra quasi che tu mi stia dando della...» Steph fece una smorfia che le dipinse sul bel viso un'espressione imbronciata, poi agitò leggermente la mano a mezz'aria.

«Non avevo intenzione di offenderti.»

O forse sì? Seduta sul mio letto mi trovavo proprio di fronte a lei. E inevitabilmente il mio cervello prese a considerare le plateali differenze tra di noi. Un abisso. Lei bella, bionda, con il trucco che accentuava le labbra carnose e gli occhi azzurri, vivace, briosa e divertente. Io anonima, castana, struccata, con lo sguardo spento e le labbra sottili, apatica, distaccata e malinconica.

«Per fortuna, Bon. Sei l'unica amica che ho! Comunque... tornando ad Adam. Lui è diverso da tutti gli altri. Lui è così... profondo, ecco. Diciamo profondo, sensibile, gentile. Se dovessi scegliere tra tutti gli altri ragazzi che ho incontrato nella mia vita, sceglierei proprio lui. Infatti ho scelto lui.»

«Perfetto, allora. Direi che vi siete trovati.»

Mi alzai di scatto per andare in bagno. Qualunque cosa avessero intenzione di fare, che la facessero in fretta. Per quanto mi riguardava potevano anche mettersi insieme e vivere per sempre felici e contenti.

Una parte di me quella notte sperò che il giorno dopo non giungesse mai. O che io almeno fossi inghiottita da una voragine che mi intrappolasse per sempre al centro della terra. Invece arrivò, puntuale come i miei crampi allo stomaco.

Doveva essere il grande giorno secondo Stephanie. Quindi il mio compito sarebbe stato quello di lasciare lei e Adam il più possibile da soli e distrarre Clayton. Certo, non aspettavo altro! C'erano comunque anche gli altri ragazzi in spiaggia e i due amici di Clayton che erano arrivati con lui, ma la loro presenza per Steph era ininfluente. Sperava di riuscire a trascinare Adam in un angolino isolato che aveva scoperto recentemente. Non osai nemmeno chiedere dove, non volevo sapere. Sembrava fosse diventata esperta del posto più di me. Parlava con tutti, salutava tutti, era grande amica di tutti. Era facile per lei.

La mattina e il primo pomeriggio trascorsero più o meno come al solito, nonostante Stephanie avesse incominciato a dimostrare una certa impazienza. Quando ormai la giornata stava volgendo al tramonto

Stephanie si era convinta che la grande dichiarazione sarebbe arrivata quella sera.

Così io mi ritrovai sola con Clayton a vagare per il Luna Park, chiedendomi cosa ci facesse insieme a me. Perché non se ne stava con i suoi amici? Avevano la macchina, potevano anche spostarsi altrove. Non era costretto a restare intrappolato lì come me. Forse mi stava usando, stava ancora cercando a modo suo di farla pagare a Steph. Mi aveva proposto qualche giro, avevo accettato anche le montagne russe e la casa dei fantasmi. E avrei arricchito la mia collezione di pupazzi, aveva vinto per me un fenicottero rosa questa volta.

«Stasera almeno stai fingendo di divertirti, brava!» Sorrise brevemente depositandomelo tra le braccia.

«No, in realtà sto cercando di capire... Perché sei ancora qui? Stai aspettando di sapere come andrà a finire tra Steph e Adam? Ormai mi sembra abbastanza evidente, quindi è inutile restare a perdere tempo.»

Non ci credevo che non fosse più interessato a lei. Si stava mangiando l'orgoglio ma il fatto che resistesse ostinato in attesa era un chiaro segnale. Intanto si aggirava insieme a me per ingannare il tempo.

«Mi incuriosisce, se devo essere sincero. Non vedo l'ora di scoprire cosa pianificherà la nostra Stephanie per ottenere l'attenzione di uno che proprio non ne vuole sapere.» Clayton mi posò la mano sulla spalla spingendomi a camminare verso l'uscita del Luna Park.

Intanto mi rivolse un'occhiata ammiccante, maliziosa. «Ma non è solo per quello. Ti ho parlato dei miei progetti per l'estate, se ricordi. E alla fine potresti esserci anche tu, tra i tanti.»

«Cosa?»

Mi ero persa nel discorso su Steph e Adam e l'allusione ai progetti per l'estate di Clayton mi colse alla sprovvista. In realtà stavo pensando ad altro. Ero comunque abituata ormai a vederli insieme. Poi dopo la sua partenza e il nostro ritorno a Bath non sarebbe più stato affar mio. L'estate doveva solo finire.

Clayton intanto mi stava guidando verso la spiaggia. Io lo seguivo senza oppormi. Non mi dispiaceva tutto sommato stare con lui. Anzi, forse era meglio che starmene da sola a pensare troppo, a riflettere su quel fastidioso dolore al petto che mi assaliva di tanto in tanto fino a soffocarmi. Il mal di stomaco almeno mi era passato. Però questo non era affatto meglio, anzi…

«Andiamo sulla riva, ti va?»

Clayton inclinò il capo verso di me per studiare la mia reazione alla sua proposta. Poi posò la mano sul mio fianco, circondandomi la vita con il braccio. Sentii il calore di quel contatto attraverso la stoffa della maglietta. Non mi diede fastidio, al contrario. Lo trovai piacevole. Inconsapevolmente mi piegai verso di lui e il mio fianco finì adagiato contro al suo.

«Mmh…»

Quindi stavo davvero passeggiando sulla spiaggia di notte con Clayton Stone? Se qualcuno me lo avesse raccontato solo qualche giorno prima mi sarei messa a ridere.

«Potremmo anche fare il bagno nudi, se vuoi?»

Clayton mi voltò completamente verso di lui increspando le labbra con aria seducente.

«Non esagerare, Stone. Sono nella posizione giusta per darti un calcio e farti male!»

In realtà non presi la sua proposta come un invito indecente. Allo stesso modo la mia era stata una minaccia scherzosa.

«Lo faresti davvero, ne sono certo. Ma io non ho così tanta paura. Mi piace rischiare.»

Mi attirò a sé ancora di più percorrendo la mia schiena prima delicatamente, con le dita. Poi premendo più forte. Il contatto ravvicinato con il suo corpo mi diede un brivido. Subito dopo mi sentii avvampare.

Restai in silenzio e lo lasciai fare mentre posava le labbra sul mio zigomo, scendendo poi verso il collo.

«Come dicevo, mi piace rischiare... almeno vorrei provare, piccola Bonnie Meisel...»

Spostò il viso in modo da ritrovarsi di fronte al mio, alle mie labbra.

Ero cosciente di ciò che stava per accadere. Non mi opposi e chiusi gli occhi in attesa. Il calore della sua bocca sulla mia mi lasciò interdetta per un attimo. Ma non mi dispiacque. Bastava tenere gli occhi chiusi e tutto andava bene. Tante emozioni, diverse e contrastanti, si accavallarono nella mia mente nel frattempo. E anche il mio corpo era percorso da sensazioni inaspettate. Mi sentii barcollare e le ginocchia mi cedettero mentre Clayton intensificava il bacio. Mi aggrappai a lui per non crollare ma ci ritrovammo entrambi seduti sulla sabbia, senza che Clayton si staccasse da me. Si tirò indietro solo quando io iniziai a respingerlo, appoggiando le mani sul suo petto.

«Scusami…» mi attrasse a sé, ma più delicatamente.

«No, scusami tu. Io non sono come…»

Come Lesley? Come Stephanie? Questo era evidente, ma in ogni caso Clayton Stone mi aveva baciata. Mi aveva baciata davvero. E sembrava anche non voler smettere anche se non ero Lesley o Stephanie ma solo io, Bonnie Meisel. E io… mi sentivo confusa, stordita e anche un po' spaventata perché mai mi sarei immaginata che sarebbe avvenuto così, con lui.

«Lo so. Va bene così, stai tranquilla. Vuoi tornare al Luna Park? O magari ti va un gelato?»

Anche nei suoi occhi lessi una sorta di smarrimento. Per un attimo mi sembrò confuso, almeno quanto me. Annuii solo per alzarmi da lì e tornare in mezzo alla gente, lontana dal mio stesso imbarazzo.

Ritrovammo Stephanie e Adam. Lei si mostrava, come sempre del resto, esuberante e inarrestabile. Adam era invece serio, compito, nel complesso anche lui come suo solito. Però sorrideva e Steph lo teneva pubblicamente per mano. Dedussi quindi che fosse andata bene tra loro, come lei sperava.

In quel momento ci fu solo una cosa che avrei potuto desiderare, con tutta me stessa. Che Clayton Stone mi prendesse tra le braccia e mi baciasse ancora. Proprio lì, davanti a tutti, esattamente come aveva fatto quando eravamo soli sulla spiaggia.

CAPITOLO 20

Era accaduto davvero. Clayton mi aveva baciata davvero lì, al Luna Park, davanti a tutti. E lo aveva fatto perché io mi ero messa proprio di fronte a lui, con le labbra a poca distanza dalle sue, circondandolo con le braccia come avevo fatto poco prima per non cadere a terra.

Avventata e sprovveduta, non mi ero neanche preoccupata del fatto che mio fratello poteva essere lì intorno e assistere alla scena. In pochi istanti ero venuta meno a tutti i miei principi tra cui, quello più importante e imprescindibile, non avere mai a che fare con uno dei ragazzi di Stephanie. Invece lo avevo baciato in un luogo pubblico. Molto affollato. Ed ero stata proprio io ad attirare quel bacio. Clayton aveva esitato. Io no.

Ci separammo nuovamente. Persi di vista Steph e Adam e rimasi sola con Clayton che sembrava però aver perso l'entusiasmo. Forse era colpa mia. Lo avevo costretto a baciarmi di fronte a Stephanie. E lui la voleva ancora. Tanto che non aveva più accennato a toccarmi, neanche accidentalmente.

«Domani parto.» Mi rivelò freddamente, dopo avermi accompagnata di fronte alla casa dei nonni.

«Mi dispiace. Io non volevo... Cioè, non avrei dovuto, ecco.»

Il suo atteggiamento era cambiato troppo nel giro di così poco tempo. Era chiaramente colpa mia.

«Posso provare a conquistare una ragazza libera. Spesso ci riesco. Anzi, quasi sempre.» Puntò gli occhi su di me e si strinse nelle spalle con aria rassegnata. «Ma non posso fare nulla con una ragazza così chiaramente innamorata di un altro. Almeno finché non le sarà passata del tutto e non so se accadrà mai.»

«Mi dispiace.» Lo avevo già detto, ma non potevo fare altro che ripetermi. «Ma non è mai detto... può anche essere che le passi. Anche perché lui è intenzionato a partire per entrare in marina e non credo che cambierà idea. Poi in ogni caso c'è da tener conto della distanza, perché comunque Steph...»

Credevo si fosse rassegnato con Stephanie. Invece mi sbagliavo. Ecco perché era così infastidito da quel nostro bacio proprio di fronte a lei. Ma in realtà io...

«Tu non hai capito proprio niente. Non stavo parlando di Stephanie ma di te, Bonnie Meisel.»

«Perché? Perché vuoi partire?» Era vero. Forse non capivo davvero niente. Ma in quel momento sapevo solo che non volevo restare lì da sola. Con loro. Senza di lui. Mi morsi forte le labbra per cercare di evitarlo con tutte le mie forze, ma gli occhi mi si riempirono di lacrime.

«Ti prego, non andare via. Non lasciarmi qui da sola… Io non voglio, non voglio!»

«Forse dovresti dirlo a un altro, ragazzina.» Clayton sospirò scuotendo la testa.

«No, no, no. Mai!» Clayton Stone era a conoscenza di qualcosa che io avevo ignorato fino a quel momento e respinto con tutte le mie forze, fisiche e mentali. Ma che purtroppo era drammaticamente vero. Però poteva passare. Poteva finire. Magari mettendomi d'impegno ci potevo riuscire. «Puoi portarmi con te, allora? Solo per poco, solo per cambiare un po' e non vedere sempre…»

«Partiamo domani mattina. Percorriamo la costa, poi risaliamo verso Bath. In macchina c'è posto, però…»

Annuii in silenzio, abbassai la testa.

«Però non ti va. Ho capito… scusami ancora.»

«Domani mattina mi travestirò da bravo ragazzo, verrò a bussare alla porta e proverò a convincere i tuoi nonni di essere un tipo affidabile e che mi prenderò cura di te. Minaccerò i ragazzi e li obbligherò a non fare i cretini come al solito.» Clayton mi sollevò il mento con un dito e i suoi occhi castani mi accarezzarono con una dolcezza inconsueta in lui. «Ti porterò con me un giorno soltanto e vedremo di farti passare un po' questa tristezza. Però ora me lo fai un sorriso, piccola Bonnie Meisel?»

CAPITOLO 21

Non mi restava che supplicare i nonni di lasciarmi andare con Clayton solo per la mattina e il pomeriggio, almeno. Era una follia ed era una richiesta davvero molto lontana dal tipo di ragazza che io ero sempre stata. Ma questa volta era tutto diverso, tutto cambiato. Io stessa ero cambiata. Non potevo cedere, non potevo permettere che tutto il mio mondo naufragasse senza cercare di opporre resistenza. Per questo dovevo partire, allontanarmi anche per poco.

Stephanie restava nonostante tutto la mia migliore amica. Avevo promesso a me stessa che non avrei mai provato interesse per un ragazzo che era stato insieme a lei. Clayton sarebbe stato l'eccezione. Del resto era finita tra loro. E questa opzione avrebbe evitato il peggio. Faceva male ma almeno non sarei venuta meno al codice morale che mi ero imposta.

Non ne parlai con Stephanie. Forse avrei dovuto iniziare a chiedere il permesso alla nonna, ma non ero nemmeno certa di risultare abbastanza convincente. Alla fine decisi di contare sulla capacità di persuasione di Clayton. Quindi per quella notte mi misi a letto rimandando qualsiasi discussione.

Il permesso venne accordato solo per la giornata, come del resto avevamo pensato io e Clayton. Sarei dovuta rientrare la sera, non troppo tardi. Sicuramente non sarei potuta stare via la notte. Per permettermi di partire con loro Clayton aveva dovuto convincere i suoi amici a modificare l'itinerario del viaggio. Saremmo andati verso Weymouth Beach per poi tornare indietro a Bournemouth. Io mi sentivo sempre più colpevole ma non potevo fare a meno di questo distacco, anche se si trattava solo di una giornata.

Stephanie mi guardò un po' accigliata quando venne a conoscenza dei miei progetti che per una volta non includevano anche lei. Né a me né a Clayton venne in mente di invitarla. Supponevo quindi che si sentisse un po' tradita, esclusa. E non ne era abituata. Ma la sua presenza avrebbe reso inutile lo scopo del viaggio.

Dovetti affrontare il senso di disagio che mi incutevano Frazer e Lee, gli amici di Clayton. Erano più grandi di noi di alcuni anni e io già non avevo molta confidenza nemmeno con lui. Stavo scappando, questa era la verità.

Non ci volle molto a raggiungere Weymouth Beach. E mi ritrovai lì, come ero stata a Bournemouth. Non c'era grande differenza se non quella mancanza. Anzi, quella presenza che io cercavo continuamente con lo sguardo pur sapendo che avrei dovuto imparare a farne a meno, per sempre.

«Lo sai che davvero non riesco a capirti, Bonnie.»

Clayton si sedette al mio fianco, posandomi una mano sulla schiena. Non mi ero nemmeno avvicinata alla riva, dove Frazer e Lee si erano tuffati iniziando a scherzare con alcune ragazze appena conosciute. Avevo mantenuto le distanze. Mi sentivo sciocca, ma allo stesso tempo ero tornata a essere la solita Bonnie, la ragazza fuori tempo e fuori moda di sempre. In un certo senso, anche se un po' contraddittorio, era confortante ritrovare me stessa.

«Ho scritto lettere per tutta la scuola, in questi anni. Molte volte. Per tanti. Anche per te, Clayton. Ma poi...» sospirai stringendomi nelle spalle e attirando le ginocchia al petto, dove appoggiai la fronte per nascondermi e non dover affrontare il suo sguardo.

Ma poi arrivata a Bournemouth non avevo più voluto. E non ci sarei più riuscita, ormai. Forse era tempo di cambiamenti, per me. In fondo aveva ragione Stephanie. Da qualcosa o da qualcuno dovevo pur iniziare. Perché non da me stessa?

«Lo sapevo. Ma credevi davvero che mi importasse qualcosa di quella letterina?» Clayton si sfilò la maglietta stendendosi sulla sabbia. Seguii i suoi movimenti con la coda dell'occhio. «Non ne avevo certo bisogno per convincermi a provare Stephanie Lindbergh. Ci pensavo da un po'. Ti sembro il tipo da letterina romantica, io?»

Mi posai la mano sulla bocca per trattenere una risata, sollevai la testa voltandomi a guardarlo.

«Non ci crederai ma è più o meno la stessa cosa che ho detto io a Steph quando cercava di convincermi...»

«Ma alla fine l'hai scritta.»

Sì, alla fine sì. Perché la verità era davvero quella, l'unica reale anche se avvilente, imbarazzante quasi. La mia volontà era ininfluente di fronte alle richieste di Stephanie.

«Io ho sempre fatto quello che Steph mi chiedeva, fin da bambine. In un modo o nell'altro è sempre riuscita a convincermi.» Chiusi gli occhi, appoggiando nuovamente la fronte sulle ginocchia. «Non potevo farne a meno, è l'unica amica che ho e tu sai come sa essere persuasiva. E poi in ogni caso... non mi è mai costato molto accontentarla.» Fino a quel momento.

«Invece adesso...» Clayton si sollevò mettendosi seduto. «Non mi dispiacerebbe che il "cambiamento" fosse avvenuto a causa mia. Sarei contento se ti fossi rifiutata di scrivere quella lettera destinata a me, se ti opponessi a Stephanie per me. Sarebbe interessante provare ad averti intorno, Bonnie.»

«Non è detto che non sia possibile. Infatti sono qui e non le ho detto niente, non ho chiesto il suo permesso e nemmeno la sua opinione. Questa mattina non sembrava molto contenta che io partissi insieme a te.» C'era qualcosa in Clayton Stone. Qualcosa che si manifestava però solo quando stavamo soli e che io non riuscivo a scorgere quando i suoi amici, Steph o altre persone erano presenti. Qualcosa che mi era sempre sfuggito prima. «Non sei come credevo. Ti credevo il migliore al mondo, perfetto. Anzi no, così è come ti vedeva il mondo. Io propendevo più a considerarti un narcisista egocentrico, tipico esemplare di maschio senza cervello, fanatico e un po' perverso anche.»

Clayton accennò un sorriso vago, mi circondò le spalle con un braccio attirandomi a sé e massaggiandomi il braccio.

«Essere stupidi aiuta più di quanto tu creda. Pensare troppo implica problemi. Guarda te stessa... potresti cercare di ottenere quello che vuoi invece di nasconderti qui. Però non riesci nemmeno a lasciarti andare. Sei così tesa che a volte mi sembra di farti male, anche solo sfiorandoti.»

«Ho già contraddetto gran parte delle mie regole ormai e demolito il mio codice morale.» Non lo guardai, ma inclinai la testa verso la sua. «Avevo promesso a me stessa che mai, mai ci sarebbe stato qualcosa tra me e il ragazzo di una mia amica. Soprattutto se quell'amica era Stephanie.»

«Sono stato il male minore, però. Almeno questo ammettilo. E mi stai contagiando, perché in altre circostanze eviterei di stare qui a rifletterci troppo e non penserei altro che a baciarti.»

Posò le labbra sulle mie. Lo lasciai fare. Non ricambiai ma socchiusi appena gli occhi. Quando si staccò mi sforzai di sorridergli. Tra me e Clayton si stava creando una sintonia inaspettata. Era del tutto diverso ma di una cosa almeno ero certa. Non mi avrebbe fatto male, anzi. Sarei crollata se non fosse arrivato lui a offrirmi una via di scampo. Era stato la mia salvezza.

CAPITOLO 22

La sera, puntualmente, Clayton mi aveva lasciata davanti alla casa dei nonni. Poi era ripartito con i suoi amici. Ci saremmo rivisti a Bath. Una parte di me si chiedeva se il nostro rapporto sarebbe cambiato una volta a casa. Magari lui sarebbe tornato a interpretare il solito Clayton Stone e io a essere quella che ero sempre stata. Forse del resto era meglio così e comunque non mi aspettavo nulla di diverso. Io nel cambio non ci avevo guadagnato. Non volevo diventare in modo permanente una copia di Stephanie e delle altre.

Non ero certa che il mio distacco fosse servito a qualcosa. C'era stato un momento in cui mi ero convinta che con un po' d'impegno sarei riuscita a trovare la giusta dimensione tra amicizia e quella sensazione di sgomento ed estasi insieme che non riuscivo a mandare via nemmeno mettendoci spazio e altre persone di mezzo. Non riuscivo a dominarla e mi spaventava l'idea di essere costretta a conviverci.

Stephanie non era in casa al mio rientro. Era uscita dopo cena, mi aveva detto la nonna. Nulla di nuovo. Dovevo solo fare un bel respiro e riprendere il controllo di me stessa. Questione di abitudine. Magari con il tempo la situazione sarebbe migliorata e io avrei imparato a considerare tutto con una certa indifferenza. Nel mio egoismo ero in parte sollevata dal fatto che per lo meno non li avrei avuti sotto agli occhi ogni giorno.

Decisi di fare un giro. Non tanto in cerca di Steph ma per controllare di aver recuperato abbastanza energia. O forse la verità era che volevo verificare subito che effetto avrebbe avuto su di me vederli insieme, dopo la giornata trascorsa con Clayton.

Tutto inutile perché sembravano spariti. Non ero riuscita a trovarli al Luna Park, né in centro. Avevo dato un'occhiata lungo la spiaggia ma non erano nemmeno lì. C'era sempre la possibilità che non si trovassero ai soliti posti. Avevo intravisto Steve Comte ma non avevo osato chiedere.

Mi rassegnai a rientrare, trascinandomi dietro Eddie che si era spazzato via mezza bancarella di dolci del Luna Park e soffriva di crampi allo stomaco. Evidentemente era un dolore che ci accomunava ultimamente. Salutai i nonni e senza trattenermi oltre andai a rinchiudermi in camera.

Stesa sul mio letto osservavo il soffitto. Dovevo essere forte. Sì, ne sarei stata capace. Il peggio sarebbe passato presto. Mi bastava arrivare alla fine di quella vacanza. Tornare a casa. Riprendere la scuola. Lasciare che le vecchie abitudini subentrassero a spazzare via tutti i pensieri e i ricordi dell'estate.

Stephanie rientrò poco prima di mezzanotte. Avevo spento la luce ma riuscivo a sentirla. Era stranamente silenziosa, forse credeva che dormissi. Era comunque un atteggiamento inconsueto da parte sua. Fui tentata di lasciarle credere di essere davvero sprofondata nel sonno. Lottavo tra il desiderio di inconsapevolezza e la necessità di sapere. Conoscendola non avrebbe esitato a raccontarmi tutta l'evoluzione della storia nei minimi dettagli. Ma almeno avrei avuto tutta la notte davanti per assimilarla e smaltirla. E il buio per nascondermi, per mascherare il mio stato emotivo senza compromettermi. Quindi, considerando i pro e i contro, lasciai vincere la necessità di sapere tutto immediatamente.

«Steph...»

Accesi la lampada sul mio comodino e mi tirai su leggermente appoggiandomi sul gomito.

«Ah, sei tornata.»

Il suo tono era strano. Strano distaccato tendente allo strano stizzito. Possibile che ce l'avesse con me per essermene andata via con Clayton? Sì, in effetti lo era. Mi aveva suggerito l'idea di intrattenerlo, di iniziare a uscire con qualcuno ma ora evidentemente non le stava più bene. Forse nemmeno lei credeva che la prendessi sul serio fino a quel punto.

Sospirai indecisa se esprimere le mie perplessità a riguardo o lasciar perdere. Optai per lasciar perdere. Non avevo nemmeno voglia di discutere in proposito.

«Divertita?» mi chiese lanciandomi un'occhiata distratta. Anche la sua espressione era strana. Strana nervosa, pronta a esplodere.

«Mmh... sì, abbastanza.»

Stavo considerando cosa dire e cosa tacere. Nel frattempo Stephanie si tolse le scarpe lanciandole in un angolo e abbassò la zip sul fianco del vestito.

«Adam mi ha lasciata» borbottò più tra sé che rivolta a me.

Impiegai qualche secondo per riuscire a interpretare il senso delle sue parole.

«O meglio...» mi precedette prima che potessi dire qualcosa. Si sfilò il vestito dai piedi lanciandolo sul suo letto. «Mi ha detto chiaramente di non essere interessato a iniziare una storia con me. L'unica cosa di cui gli importa in questo momento è andarsene via da qui, il più in fretta possibile. Oggi era...» sospirò e scosse la testa. «Scostante, maleducato quasi... non era mai stato così da quando lo conosco.»

Restai nuovamente in silenzio, sbigottita. Evidentemente Adam e Clayton si erano dati il cambio. Ma dovevo trovare qualcosa da dire. Mostrarmi solidale, partecipe. Un "mi dispiace" mi sembrò troppo scontato.

«Lo sapevi che...»

Non riuscii nemmeno a proseguire. Sentivo il cuore battere in modo totalmente irrazionale nel petto, mi tremava la voce. Lo sapeva che il suo proposito era quello di entrare in marina. Ne era consapevole, lui non lo aveva mai nascosto. Questo avrei voluto dire. Ma la voce già alle prime parole mi era uscita come una specie di singhiozzo strozzato.

«C'è una domanda che devo farti, Bonnie. E tu mi devi rispondere.» Stephanie inclinò la testa puntandomi gli occhi addosso. Era rimasta ferma dov'era, con le dita delle mani incrociate in una sorta di preghiera. «Tra te e Adam… c'è stato qualcosa?»

Qualcosa. Solo a sentire il suo nome associato a me sentii quel singhiozzo che trattenevo a stento salire su, su fino alla gola. E gli occhi pungermi impietosamente.

«No, no…» distolsi lo sguardo, mi aggrappai alle lenzuola. «Avevo undici anni, lo sai…»

«Non intendo anni fa, Bonnie! Intendo ora. Questa estate, in questi giorni. Quando io non c'ero tra voi…» Non potevo più evitarla. Stephanie si mosse verso di me e venne a sedersi sul mio letto, al mio fianco. Mi sentivo scoperta ormai, totalmente esposta. «Guardami, Bonnie! C'è qualcosa tra te e Adam?»

La guardai, sollevandomi in modo da mettermi seduta di fronte a lei. A lei. La mia rivale. La mia complice. La mia manipolatrice. La mia bellissima Stephanie. A lei, che nonostante tutto restava l'unica amica che io avessi mai avuto. Fu proprio in quel momento che trovai la forza. Di ricacciare indietro le lacrime, di mettere a tacere il cuore. Di risponderle.

«Non c'è assolutamente nulla tra me e Adam. Non c'è mai stato e mai ci sarà. Mai!»

CAPITOLO 23

Avevo cercato di sollevare il morale a Stephanie, come potevo. Il senso di colpa per la consapevolezza di aver mentito non mi dava pace ma stavo iniziando a conviverci. E in realtà ero davvero dispiaciuta per lei. Forse anche più che per me stessa. L'avevo convinta che non dipendeva da lei. Adam aveva problemi con il padre per il Luna Park. Aveva probabilmente altre preoccupazioni, altre priorità al momento, quindi doveva obbligatoriamente mettere da parte la vita sentimentale.

Mi aveva chiesto di Clayton. Le avevo raccontato che era andato tutto bene, ma che non saremmo andati oltre l'amicizia per il momento. Evitando accuratamente di scendere nei dettagli, avevo ammesso comunque che lui mi piaceva molto. In effetti non era una bugia, ma era anche una verità vagamente dissimulata.

Il mio più grande intento nel corso del pomeriggio sarebbe stato quello di evitare l'incontro. Non potevo fare altro. Quindi dovevo trovare un espediente per non uscire di casa. Dissi che mi sentivo debole, che avevo un po' di mal di testa, mal di stomaco, come un principio di febbre. Forse avevo preso troppo sole il giorno prima. E non volevo nemmeno muovermi dalla stanza.

Stephanie si trattenne un po' con me nel corso della mattinata, poi la incitai a uscire. Disse che avrebbe tentato di distrarsi un po' sulla spiaggia con gli altri ragazzi. Se Adam non ne voleva sapere di lei, peggio per lui.

Rimasta sola provai a leggere un libro che mi ero portata da casa. *La Piccola Fadette* di George Sand, la storia di una ragazzina solitaria, una piccola strega incompresa. Forse mi ci ritrovavo, mi ci riconoscevo. L'avevo già letto, ma era uno di quei libri che mi trascinavo dietro e amavo rileggere spesso.

Passai in seguito ai miei diari, ma quello a cui avevo dato il suo nome non riuscii nemmeno ad aprirlo. Che lo avessi fatto inconsciamente ma già da allora rispecchiasse la realtà? Non ne avevo idea. Poi c'era l'altro, quello nuovo. Anzi, quello vecchio che lui mi aveva regalato. Passai il dito sui contorni delle due figure abbracciate. Socchiudendo gli occhi potevo illudermi che fossimo noi due. Ma no, non sarebbe mai accaduto. Solo nei miei sogni, tra le illusioni della mente che ormai non rispondeva più al comando che la mia razionalità tentava di imporle.

Simulai un sorriso appena sentii bussare alla porta. Era la nonna. Mi sforzai di tranquillizzarla, la sua espressione preoccupata mi faceva sentire responsabile. Come se non soffrissi già abbastanza di sensi di colpa.

«Ti senti meglio?» sorrise passandomi la mano sulla fronte e poi accarezzandomi i capelli. «Non mi sembra proprio che tu abbia la febbre.»

«Sì, nonna. Sto molto meglio.»

Ma non sarei uscita comunque e non avevo intenzione di lasciarmi convincere.

«Quel ragazzo ti ha fatto qualcosa?» La nonna aggrottò lievemente la fronte. «Stai poco bene da quando sei tornata…»

«Chi?» Impiegai un po' a capire che intendeva Clayton. «No, no, lui è stato gentile con me. È andato tutto bene con Clay e con i suoi amici.»

«Stephanie allora… è successo qualcosa con lei?»

Scossi lievemente la testa. Non era qualcosa che potevo raccontare.

«Forse ho davvero preso troppo sole, non sono abituata.»

«A volte capita di dover fare una scelta che potrebbe rendere qualcun altro infelice, Bonnie. Non è egoismo. È necessario, anche se doloroso.»

La nonna sospirò trattenendo la mano sulla mia. Abbassai lo sguardo senza sapere cosa dire. Aveva capito. Forse non tutta la verità ma si era avvicinata di molto alla corretta interpretazione del mio stato d'animo.

«Non voglio che Stephanie soffra. È già un momento difficile per lei, si sentirebbe tradita anche da me.» Quindi la mia scelta era compiuta, inutile discutere oltre. E poi… insomma era giusto così. Questo era fuori questione, non avevo dubbi. «Non è nulla. Non è stato nulla e mi sta passando. Sono quasi guarita. Appena mi sentirò meglio scenderò e tutto tornerà come prima.»

La nonna mi lasciò sola appena manifestai la mia intenzione di tornare a leggere. Chiusi gli occhi e adagiai la schiena al cuscino. Aprii il libro, *La Piccola Fadette*. La storia della ragazzina solitaria, umiliata da tutti gli abitanti del villaggio. Ma non da lui, che aveva imparato a conoscerla, a capirla e infine ad amarla. Una ragazza fuori moda, proprio come me, che l'amore aveva cambiato e trasformato in una splendida, ammirata fanciulla, la cui dolcezza si era risvegliata con l'intensificarsi di un sentimento puro e incontaminato.

Non mi sarebbe accaduto lo stesso. Io sarei rimasta me stessa. Perché l'amore mi stava attraversando senza scolpire la mia anima. L'amore mi avrebbe oltrepassata presto, se ne sarebbe andato via da me, lontano, dissipandosi tra le onde del mare. Mi risuonarono nella mente le parole di quella canzone e continuai incessantemente a ripeterle dentro di me. Mi è quasi passata. Sì, mi è quasi passata. *I'm almost over you.*

CAPITOLO 24

«Clayton mi riporterà a Bath domani mattina. Ho già parlato con mia madre, è d'accordo.»

La comunicazione di Stephanie, rientrata nel tardo pomeriggio, mi lasciò interdetta. Clayton era ancora in città? Ero convinta che fosse in giro con i suoi amici per poi rientrare a Bath oppure spostarsi verso un'altra destinazione.

«Te ne vai? Ma perché Steph? Perché non aspetti di tornare insieme a me?»

Chiusi il libro e lo appoggiai di fianco. Stephanie sostava ancora sulla porta, quasi come se fosse un'ospite nella stanza che condividevamo e non desiderasse oltrepassare la soglia.

«Perché...»

La vidi mordersi le labbra nervosa, mentre si passava entrambe le mani tra i capelli. Gli occhi azzurri erano diventati troppo lucidi. No, non poteva essere. Clayton. No, non poteva averlo fatto.

Mi rigirai lasciando scivolare le gambe giù dal letto, ritrovandomi così seduta ma di fronte a lei.

«Non puoi andare via così, Steph. Non è giusto... io non ho fatto niente! Io...»

O forse ci avevo solo provato senza riuscirci?

«Ti sbagli, Bonnie. Tu hai fatto fin troppo!» Stephanie sospirò profondamente avanzando verso di me. «Solo che io sono stata tanto cieca e tanto concentrata su me stessa da non capirlo. Anzi... ancora non lo avrei capito se qualcuno non mi avesse svegliata buttandomi in faccia la verità!»

«È stato Clayton? Non è vero niente... qualunque cosa lui abbia detto non devi credergli...» Non sapevo nemmeno da cosa dovevo difendermi. E se dovevo difendermi. Cosa le aveva raccontato per convincerla ad andarsene con lui? «Noi siamo amiche, Steph. Io...»

«No. Noi non siamo amiche, Bonnie.» Vidi una lacrima scivolare lungo la sua guancia. Era stranamente pallida, sconvolta, struccata. Come se avesse già pianto prima di presentarsi di fronte a me. «Tu sei mia amica. Io non lo sono stata per te. Io sono stata così stupida, così egoista da non capire, da non vedere quello che era così chiaro, così evidente... O forse non volevo capire, non volevo accettare che qualcuno, qualcuno come Adam... il tipo di ragazzo che avrei voluto per me... in realtà non vedesse altro che te!»

«Ma no... non è così, ti garantisco che io...»

Cosa stava dicendo? Non era vero.

«Tu sei innamorata di lui, Bonnie! E io ti ho costretta, ancora una volta, a scrivere una di quelle stupide lettere da parte mia. Anche a lui. E tu mi hai ubbidito e lo hai fatto, nonostante tutto.» Stephanie aveva alzato la voce, il suo tono era diventato quasi accusatorio.

«Io non volevo... mi dispiace.» Abbassai lo sguardo stringendo forte la coperta in un pugno. «Ho fatto tutto quello che potevo... sono andata via con Clayton, ho anche provato a...»

«Già...» La voce di Stephanie uscì ora come un sussurro, un sospiro malinconico. «E sai cosa è accaduto qui nel frattempo? Adam... non lo avevo mai visto così. Ricordi che ti ho detto che è stato detestabile, che mi ha scaricata brutalmente dicendomi di non essere interessato? E non era solo per la voglia di andarsene, non era per i contrasti con suo padre. È stato a causa tua, era furioso di saperti con un altro. Adam era distrutto all'idea di perderti, Bonnie. Ti ama. I segnali c'erano tutti, fin dall'inizio. Ha sempre voluto te. Io non sono stata in grado di interpretarli perché non ho mai accettato di essere messa in secondo piano...»

«No, Stephanie. Ti sbagli. Adam non...»

Qual era il senso delle sue parole? Me le sentivo scivolare addosso una dopo l'altra. Ed era come se mi riplasmassero, come se rimodellassero il mio cuore che aveva iniziato a battere in modo incontrollabile.

«Adam vuole te, Bonnie. Ha sempre voluto te.» Stephanie mi si sedette accanto. Mi circondò con le braccia e mi cullò con dolcezza mentre io non sapevo più reprimere i sentimenti che mi si dipinsero sul viso ormai inarrestabili, mentre le lacrime scivolavano giù una dopo l'altra. «E ora tu ti sistemerai per bene, uscirai da qui. Lo andrai a cercare e gli dirai che anche tu lo ami. Prima che sia troppo tardi.»

«Io… non volevo perderti, Steph. Tu sei la mia unica amica…»

Mi asciugai ripetutamente il viso con entrambe le mani.

«Non ti libererai mai di me, rassegnati Bon. Adam è grandioso, lo ammetto. Ed è bene che una di noi due riesca ad averlo.» Stephanie mi diede un bacio sulla tempia. «Ma ora dovremo fare qualcosa per questo bel visetto e per questi occhioni lucidi.» Si alzò e mi gettò un'occhiata, come a studiare un piano di attacco. Poi sospirò scuotendo la testa. «No, tu non ne hai bisogno. Sei perfetta così come sei. Corri a prenderlo, Bonnie.»

Adam mi amava davvero? Seguendo il suggerimento di Stephanie mi ritrovai fuori casa. Cosa avrei dovuto fare io? Trovarlo, ma poi… Ero talmente confusa e frastornata da non sapere nemmeno da dove iniziare a cercarlo. Eppure i luoghi erano sempre gli stessi. Iniziai dal più ovvio, il Luna Park. Ma poi… cosa avrei dovuto dirgli?

La strada per arrivare sembrava allungarsi sempre di più, a ogni passo mi appariva più lontano anche se si trattava di pochi isolati. Avevo paura. Paura di aver frainteso tutto, paura che Stephanie si fosse sbagliata.

Quando raggiunsi il tiro a segno ero ormai senza fiato, con il cuore che rischiava di scoppiare, gli occhi gonfi. Anche respirare mi faceva male. Mi guardai intorno sempre più tesa, poi decisi di restare immobile sperando di riprendere il controllo di me stessa e del mio corpo.

Attesi invano di vederlo sbucare dal retro. Nel dubbio feci un giro completo per il Luna Park, cercandolo ovunque. Forse era in spiaggia? Alla fine presi coraggio e mi avviai decisa da Steve Comte, che stava sistemando i premi appesi alla parete del tiro a segno. Ormai non mi restava altro da fare che rinunciare all'orgoglio e chiedere spudoratamente di lui a suo padre.

«Adam... dove... Dov'è Adam?»

Si voltò verso di me senza alcun entusiasmo. Non seppi interpretare l'occhiata spenta, apatica che mi rivolse.

«Partito per Plymouth, questa mattina. È andato a stare dai parenti di mia moglie, poi si imbarcherà. Non sono riuscito a fermarlo, a convincerlo a restare...» Avvicinandosi appoggiò entrambe le mani al bancone. «Non tornerà. È tutto finito ormai, chiuderemo. Io ho sbagliato tutto e Adam ne ha pagato le conseguenze.»

Scappai via senza replicare, senza dire nulla. Se n'era andato, lo avevo perso. Mentre io me ne stavo chiusa in casa per paura di affrontare i miei sentimenti, lui aveva deciso di allontanarsi, di staccarsi da tutto, anche da me.

Senza una parola, senza un saluto. Aveva spezzato per sempre il nostro legame. Aveva scelto di andare oltre, di cambiare, di lasciarsi il passato alle spalle, compresa quella sciocca ragazzina che aveva continuato insistentemente a soprannominare "treccine".

CAPITOLO 25

Nei giorni successivi non feci altro che rivivere i momenti con lui, uno dopo l'altro, in un flashback continuo e dolorosamente amaro. Non riuscivo a dare tregua alla morsa che mi stringeva il cuore. Accarezzavo con le dita il nostro diario. Era diventato il nostro diario, quel vecchio quaderno a righe che Adam mi aveva comprato al mercatino. E quella coppia abbracciata sullo sfondo della campagna inglese eravamo noi. La mia immaginazione modellava quelle due figure e le rendeva uguali a noi, come se fossimo stati trasportati indietro nel tempo, in posa per quel ritratto.

Avevo amato e perduto quasi nello stesso istante in cui avevo realizzato che esprimere ciò che provavo non mi avrebbe strappato ciò che ero sempre stata, non mi avrebbe portato via l'amicizia, l'affetto, i principi su cui avevo basato la mia vita di adolescente fuori dagli schemi. Ma era stato inevitabilmente troppo tardi. Non sarei mai stata più "treccine". Mai più, per nessuno.

Nella mia lotta tra amicizia e amore l'unica vera perdente ero stata io. Stephanie era tornata a casa, Adam era partito. E io ero rimasta lì ad accumulare i giorni che restavano alla fine di quelle vacanze estive. In attesa che i miei si decidessero a venire a riprenderci. Con i nonni che mi trattavano come una convalescente da maneggiare con cura e con mio fratello che sembrava aver dimenticato da un giorno all'altro di prendermi in giro e di essere invadente e rompiscatole.

«Stavi meglio tu, comunque, con quel coso da meringa vestita a festa...»

«Che cosa vuoi, nanerottolo? Non ho monetine da darti per andare in sala giochi. Chiedi ai nonni.»

Il vestito da meringa. Eddie involontariamente mi strappò un sorriso. Stephanie lo aveva lasciato per me. Quell'abito in cui io non mi sentivo me stessa, ma che aveva contribuito a risvegliare qualcosa in me. La mia voglia di sentirmi una ragazza come tutte le altre, di lasciarmi guardare. Che aveva segnato comunque l'inizio della fine, perché proprio da quel momento tutto era cambiato davvero.

«No... dicevo così per dire. Anche Dennis pensa lo stesso. E anche Adam, ecco. L'abbiamo visto noi che ti guardava, quindi...»

Parlando Eddie continuava a stringersi nelle spalle, come se fosse consapevole di dire qualcosa di inconsueto e imbarazzante. In effetti lo era. In tutta la sua vita non mi aveva mai rivolto un complimento. Non così, almeno. Poi aveva messo di mezzo Adam. Quindi anche lui sapeva, nonostante fosse solo un ragazzino rompiscatole, un piccolo opportunista che otteneva sempre ciò che desiderava con qualunque mezzo a disposizione. E a quanto diceva anche Dennis ne era al corrente. La "non storia" tra me e Adam era di dominio pubblico.

A questo punto non restavo che io. Io che mi ero tenuta tutto dentro, io che avevo continuato a tacere. Anche quando Adam mi aveva trattenuta per le spalle, lasciando scivolare poi le mani sulle mie braccia. E mentre mi guardava con i suoi occhi azzurri interrogandomi sui miei sentimenti per un altro, io perdevo il conto dei battiti del cuore che non riuscivo più a placare a causa sua. Mentre c'era quella canzone nell'aria che ripeteva costantemente *"I'm almost over you, I've almost shook these blues..."* e io mi rendevo conto, pur negandolo, che non era vero niente. Che non mi era quasi passata, che non avevo affatto dimenticato, che la malinconia persisteva immutabile nell'anima, senza di lui nella mia vita. Perché quella notte sulla spiaggia insieme a un altro erano solo sue le labbra che avrei voluto baciare, le braccia da cui avrei desiderato farmi stringere.

Compresi che era giunto il momento di scrivere una lettera. Una lettera nuova, una lettera autentica. Una lettera solo mia, questa volta. Destinata al ragazzo che amavo.

CAPITOLO 26

La scuola sarebbe cominciata entro pochi giorni. Eravamo giunti ormai agli ultimi residui di vacanza estiva. Avevo scritto la mia lettera prima di partire da Bournemouth per tornare a casa. Ma in realtà più che una lettera era il mio diario, il mio diario vero, quello che non avevo mai saputo scrivere a causa dell'inconsistenza della mia vita. E avevo quindi sostituito con altri diari di personaggi immaginari, con esistenze e storie più entusiasmanti della mia. Tra cui anche il diario di Adam che, non potevo più fare a meno di ammettere, tanto immaginario non era mai stato. Era lui già da allora, era il suo ricordo che aveva acceso la mia fantasia. Forse inconsapevolmente, quando avevo iniziato a scriverlo, ma era lui. Stephanie tutto sommato aveva avuto ragione fin dal principio.

Quindi il diario che mi aveva comprato quel giorno al mercatino, quello che mi aveva chiesto di poter leggere in modo tale da saldare il mio debito, era tornato a lui. E parlava di me. Gli avevo affidato tutto ciò che mi apparteneva davvero. I miei pensieri, i miei dubbi, i miei timori. E soprattutto la mia verità.

Tanto avevo raccontato: delle lettere che scrivevo per altri, delle storie immaginarie che nascevano da

145

un'impressione casuale, dei diari di personaggi fittizi che interpretavo come un'attrice impegnata sulla scena. Di ciò che ero stata per tanti anni e in fondo continuavo a essere. Di amicizia, di amore... di noi. Di come non avevo saputo rifiutare la richiesta dell'unica amica che io avessi mai avuto. Perché c'era tanto in Steph che la gente non vedeva ma io riuscivo a scorgere. Nonostante il suo atteggiamento, nonostante la necessità costante di essere al centro dell'attenzione di tutti, la più bella, la più desiderata. La prescelta, sempre.

Avevo incartato il nostro diario e avevo consegnato il pacchetto a Steve Comte. Pregandolo di recapitarlo ad Adam, di farglielo avere in qualche modo. Non ero certa che lo avrebbe fatto, ma non avevo alternativa.

E dopo le pagine in cui raccontavo di me e che riguardavano prevalentemente ciò che era facile raccontare, era arrivata la parte difficile. Così improvvisamente mi ero resa conto di non essere in grado. Sapevo scrivere lettere per gli altri, intrecciavo poesia, dolcezza, sentimento, emozione. L'amore potevo immaginarlo attraverso storie non mie o attraverso un ideale che persisteva distaccato, assente, immutabile. Non potevo viverlo. Non sapevo viverlo realmente. Perché per viverlo avevo bisogno di lui. Della sua presenza, dei suoi occhi, delle sue parole. Del suo sfiorarmi le mani, della tenera carezza sui miei capelli. Del suo sedermi accanto in silenzio a guardare il mare.

146

Non sapevo scrivere lettere d'amore vere. Potevo solo costruirle, giocare con parole più grandi di me. Ma quelle non erano reali, non erano mie. Io ero solo un'incosciente, una ragazza fuori moda persa in sogni che ancora non conosceva, che non erano mai stati suoi.

"Torna da me, Adam." Solo questo sapevo dire davvero. Solo questo potevo scrivere, a lui. *"Torna da me perché non mi passa nemmeno un po' e io non so come fare a dimenticarmi di te, nonostante abbia provato davvero di tutto."*

Ecco, mi bloccavo. Non ero riuscita a esprimere altro. Avevo paura, una paura tremenda, paralizzante. La stessa che avevo vissuto trovandomelo di fronte. Non ero stata brava come al solito, non ero stata poetica e non sapevo nemmeno essere appassionata come avrei voluto. Sapevo solo lottare contro il dolore della perdita, con tutta la forza di cui ero capace, per quel miracolo che aveva risvegliato il mio cuore che ora implorava di essere corrisposto, accarezzato, curato.

"Torna da me perché io non voglio diventare un'altra, trasformarmi in qualcuno che non conosco. Voglio solo essere quella che sono. E voglio esserlo insieme a te. Treccine."

Il padre di Adam aveva annuito, forse un po' troppo distrattamente. Avrebbe chiuso presto il Luna Park, mi aveva rivelato. Quel mondo fatato e in parte irreale che aveva legato il mio destino a quello di Adam già negli anni precedenti sarebbe scomparso per sempre. Non c'erano alternative, ormai. Fu in quel momento che io meditai sull'idea di crearne di nuove. Dovevo solo attendere che i miei genitori tornassero a riprendermi. Avevo studiato la storia di Bath, le sue attrattive, per la ricerca scolastica. Sapevo che esistevano sistemi per rendere un luogo invitante, per fare in modo che la gente ne subisse il richiamo e se ne sentisse attratta.

Si trattava soltanto di fare un tentativo. Di rischiare ancora una volta. Di concedere a un sogno un'ultima occasione.

CAPITOLO 27

«Dimmi la verità, Bon. Ci sei tu dietro a tutto questo?»

Stephanie, al telefono da Ashford, nel Kent, dove si era trasferita con sua madre, aveva appena finito di leggermi la lettera che aveva ricevuto. Sospirando a ogni pausa e rileggendo i passaggi che riteneva più significativi ogni volta che riprendeva la lettura.

«Niente affatto, Steph. A quanto pare io ho perso il mio tocco magico, te l'ho già detto. Ho il blocco dell'autrice di lettere d'amore, a tempo indeterminato. Ciò significa che o qualcun altro ha preso il mio posto, oppure quella lettera te l'ha scritta davvero Clayton.»

Mi morsi le labbra per non scoppiare a ridere. Sì, perché l'idea di Stephanie Lindbergh e Clayton Stone che si scambiavano lettere cercando di mantenere una relazione a distanza era davvero tutta da ridere.

«Eh allora… mmh… allora sicuramente l'avrà copiata da qualcuno, da qualche libro. Non ci credo che sia opera sua! Te lo immagini? Insomma, non sarebbe da lui. Lo sai anche tu com'è Clay. Ma dimmi… che tu sappia, si vede con qualcuna? Voglio dire… Lesley gli sta ancora intorno?»

La sentii sbuffare, seccata solo per avermelo chiesto mostrandosi più interessata di quanto intendeva ammettere. La tentazione di tenerla sulle spine mi attraversò per un istante. Ma iniziando a sentirmi troppo perfida nei suoi confronti, decisi invece di rassicurarla.

«Lesley ci prova ancora, ma lui rimane abbastanza indifferente. Quindi da alcuni giorni ho l'impressione che lei riversi le sue attenzioni su Anthony. Ma anche lui sembra corrispondere poco. È un brutto periodo per la tua rivale di sempre, Steph. Tempi duri per la ragazza più popolare della scuola.»

E io mi stavo trasformando in un'incorreggibile pettegola.

«E adesso io come gli rispondo per non essere da meno? No, non dirmelo...» Sospirò ancora, sdegnata. «Hai il blocco, quindi niente da fare. Non mi aiuterai. Ciò significa che dovrò fare da sola, inventarmi qualcosa, magari copiare da qualche libro, come sicuramente ha fatto lui... Forse dovrei lasciar perdere. E lo farei, se ci fosse qualcuno di interessante qui. Invece niente...»

«Non dare per scontato che lui abbia copiato, Steph. Clayton potrebbe essere molto diverso da come appare. Quindi... usa le tue parole, scrivi quello che senti davvero e andrà benissimo. Non è una gara a chi è più bravo. Comunque, quando torni a Bath a trovare tuo padre? Ho voglia di vederti.»

«Fine mese. E dobbiamo andare a fare shopping noi due. Poi ti devo insegnare a truccarti decentemente perché l'ultima volta hai combinato un disastro con quel rimmel. Ti farò un corso accelerato e questa volta ti dovrai impegnare per imparare.»

Tornata a casa da Bournemouth, Stephanie aveva insistito per darmi lezioni di moda, di trucco e di stile. Poi era partita per Ashford, dove sua madre avrebbe iniziato un nuovo lavoro. L'aveva seguita controvoglia, ma i suoi avevano deciso così, almeno per il momento, perché anche il padre di Steph viaggiava spesso per lavoro. Io speravo che il distacco fosse solo temporaneo.

Volendo avrei quasi potuto prendere il suo posto tra le ragazze più popolari della scuola. Ma io non volevo. Preferivo restare "treccine" e dentro di me sapevo che nonostante i vestiti alla moda, il trucco, i capelli sciolti sulle spalle, lo sarei rimasta per sempre. E forse per sempre sarei rimasta anche nella terra di mezzo, tra popolari e sfigati. Andava bene così.

In ogni caso Stephanie mi mancava, non solo come amica ma come punto di riferimento fondamentale nella mia vita. Il suo modo di ridere, di muoversi, di parlare. Anche le sue richieste incessanti e la sua ostinazione mi mancavano. E non mancava solo a me. Clayton si aggirava un po' perso a scuola, spesso riscoprivo in lui la mia stessa espressione smarrita, quasi assente. Come se fosse assalito da un senso di vuoto, di desolazione.

«Bon...» La sentii esitare, improvvisamente. E conoscevo il motivo.

«No, niente ancora.»

Ero tornata a casa da tre settimane, la scuola era iniziata da una soltanto. Cercavo di distrarmi, di non pensare. Stavo davvero facendo del mio meglio. Forse suo padre non gli aveva fatto avere il diario. Forse lui non aveva voluto leggerlo. Forse l'aveva letto ma non voleva rispondere. Forse mi aveva dimenticata... oppure non gli importava di me, semplicemente.

«Devi avere fiducia, Bon. Lui tornerà da te. Io ne sono sicura.»

Non sapeva che altro dire. Si sentiva responsabile, ma la verità era un'altra. Non era stata colpa sua. Ero stata io ad essermi spaventata di me stessa, di ciò che avevo iniziato a provare. Era stato più comodo rinunciare riversando la responsabilità delle mie azioni su di lei, usarla come pretesto nell'incertezza per non correre il rischio di essere respinta, ferita. Non avevo osato essere sincera, dire la verità, rivelare i miei sentimenti quando era ancora tutto semplice, possibile.

«Mi passerà comunque, Steph. Non ti devi preoccupare. Anzi in realtà... mi è già quasi passata. Voglio pensare ad altro, adesso. Organizziamo qualcosa di divertente per quando tornerai a fine mese.»

Sorrisi appena ringraziando il fatto che essendo al telefono Steph non mi potesse vedere. Una lacrima scivolò giù e prese la direzione delle mie labbra, fermandosi all'angolo della bocca mentre le note della canzone erano tornate a risuonare incessantemente tra i miei ricordi di una sera di qualche mese prima, tra le pieghe dell'anima.

CAPITOLO 28

La metà di settembre era stata superata ormai. Era giunto anche l'ultimo giorno d'estate. Un'estate che non avrei mai più dimenticato.

Avevo fatto colazione e preparato già tutto per la scuola. Potevo avviarmi con calma, godendomi ancora la temperatura mite di quel mese che se ne stava in bilico tra due stagioni, in una sorta di terra di mezzo, come me. Anche io ero un po' settembre. Mi sforzavo di andare avanti soffocando la malinconia che mi avvolgeva, celandola dietro a un sorriso, dietro a una serenità che per me stava diventando una conquista quotidiana. Giorno dopo giorno potevo riuscire a riprendermi, ad andare avanti. Forse con il tempo sarebbe diventato sempre più facile.

«Bonnie, è arrivato questo per te.» La mamma si rigirò il pacchetto tra le mani prima di consegnarmelo. «Non c'è nemmeno scritto da dove arriva, c'è solo il tuo nome.»

Lei non poteva sapere. Lei non poteva riconoscerlo. Quindi era così che finiva tutto? Il mio pacchetto, il nostro diario, non era nemmeno stato aperto. Riconoscevo la carta color avorio con cui lo avevo avvolto. Anche il nastrino di raso bianco era lo stesso.

154

Lo presi tra le mani senza dire nulla. Annuii soltanto prima di uscire. Scuola, dovevo andare a scuola. Concentrarmi sulle lezioni e non pensare. Non soffrire, non tremare, non piangere. Non sentire il cuore spezzarsi in tanti minuscoli frammenti. Tanto piccoli che mi sembrò impossibile trovare il modo di ricomporlo, prima o poi.

Un passo dopo l'altro. Verso la scuola. Forse non avrei mai più dimenticato quell'estate, ancora meno quel settembre. Che era proprio come me. Detestabile, inconcludente.

Mi ritrovai di fronte all'edificio. Non mi restava altro da fare che entrare e vivere quel giorno come avevo vissuto tutti gli altri. Sì, era davvero un giorno come tutti gli altri. Fu in quel momento che mi accorsi di aver trattenuto il pacchetto tra le mani. Dovevo metterlo via, nasconderlo nello zaino. Che ne avrei fatto poi? Lo avrei buttato via, senza nemmeno aprirlo? Oppure nascosto sul fondo di un cassetto sforzandomi di dimenticarlo? Non sapevo ancora. Sapevo soltanto di non volerlo rivedere, mai più. Mi stava facendo troppo male.

Mossi un altro passo verso l'ingresso della scuola. Ero in anticipo ma sarei arrivata in ritardo restando lì a fissare il vuoto. Forza, Bonnie Meisel. Coraggio. Se c'era qualcosa di positivo in tutta quella storia, era che finalmente avevo capito cosa volevo dalla mia vita. E soprattutto chi ero.

«Treccine…»

No, non poteva essere lui. Non alle mie spalle, come quando ci eravamo rivisti dopo anni al Luna Park. Non qui. Era davvero impossibile che fosse qui. A Bath, di fronte alla mia scuola. No, doveva essere l'immaginazione che faceva strani scherzi alla mia anima affranta. Mista alla delusione, ai frammenti del mio cuore che ancora lottava per illudersi, per ricomporsi.

«Treccine!»

Era davvero la sua voce. Alle mie spalle, ancora più vicina. E la sua mano che si posava sui miei capelli per poi ritrarsi, il suo respiro che mi accarezzava piano.

«Sei tu…» Mi voltai lentamente, esitante, smarrita. Ancora incredula. «Adam…»

«L'hai avuto…» sorrise imbarazzato fissando il pacchetto che reggevo ancora tra le mani.

«Prima di uscire.»

Non sapevo che altro aggiungere. Aveva voluto restituirmelo così com'era. Non era necessario che facesse tanta strada per consegnarmelo di persona. Anche perché lo aveva lasciato comunque nella posta. Che senso aveva presentarsi davanti alla mia scuola?

«E… lo hai letto?»

Abbassò lo sguardo per un attimo, poi i suoi occhi azzurri furono ancora su di me.

«No, io... tu non hai letto... non l'hai nemmeno aperto...» sospirai confusa.

Improvvisamente sembrava che entrambi avessimo perso l'uso della parola. Restavamo immobili, in silenzio. Io trattenevo ostinatamente lo sguardo fisso sul quel pacchetto intatto. Perché non osavo più sollevarlo su di lui.

Parole. Tante parole avevo scritto, tante ne avevo lette. Tante ci eravamo scambiati quando il cuore era stato messo da parte, a tacere.

«Sì, ma io... sono andato avanti a scrivere da dove tu hai interrotto e ho cercato di rifare il pacchetto uguale, ecco...»

Si passò la mano tra i capelli. Erano più corti, non lo avevo notato immediatamente. Sospirò increspando le labbra e cercando di incontrare il mio sguardo.

Cosa stava cercando di dirmi? I nostri occhi si incrociarono e restammo fermi lì, davanti alla scuola, come sospesi. A guardarci mentre il mondo inarrestabile ci scorreva intorno.

«Adam, io credevo che tu...»

«Ho lasciato il diario nella tua posta, ieri pomeriggio. Per darti il tempo di leggere.»

Sollevò la mano verso di me, poi la lasciò ricadere lungo il fianco. Improvvisamente mi sembrò quasi deluso.

«L'ho avuto solo questa mattina, prima di uscire per venire a scuola e…»

E il pacchetto così uguale al mio… mi aveva indotta a credere che lui non lo avesse nemmeno aperto, che non avesse letto quello che gli avevo scritto. Che non gli importasse di me.

«Mmh… ho capito, forse l'ho rifatto troppo bene quel pacchetto…» sospirò aggrottando la fronte. «Tu non hai letto la mia parte. Quindi non sai…»

Abbassai il viso. Avevo paura. Ancora una volta avevo paura. Ma non c'era nulla a salvarmi. Nessuna lettera per qualcun altro. Nessun personaggio immaginario da usare come rifugio, come copertura. Ero costretta ad affrontare la realtà, questa volta. Scossi la testa. No, non avevo letto la sua parte. Quindi no, non sapevo.

«Quindi non sai che sono qui a Bath per terminare gli ultimi due anni di liceo nella tua scuola. Sono rimasto troppo indietro con gli studi, spero di riuscire a recuperare. Solo dopo aver preso il diploma deciderò se entrare davvero in marina o scegliere un'altra strada. E non sai nemmeno che il Luna Park si sta trasferendo in una zona molto ampia in periferia… lungo il fiume, verso la campagna. I tuoi genitori hanno messo in contatto mio padre con una persona che si occupa delle attrazioni locali, potrebbe essere un'ottima occasione anche se probabilmente ci dovranno essere alcuni cambiamenti. Siamo arrivati a patti, mio padre ha acconsentito a fare un ultimo tentativo con il Luna Park e a lasciarlo andare senza più rimpianti se non funzionerà. Io finirò il liceo prima di prendere una decisione.»

Lo ascoltavo, in silenzio. Lo ascoltavo mentre il mio cuore si ricomponeva, un frammento dopo l'altro. Ogni sua parola era per me come un bagliore di luce, una tenue fiammella di speranza.

«E soprattutto, treccine, tu non sai che... anche a me non è passata. Nemmeno un po'. E anche io non so come fare a dimenticarmi di te. Non sai che sono andato via perché non sopportavo l'idea di vederti con un altro, non solo perché avevo litigato con mio padre. Quindi ho preferito non vederti più del tutto, sperando che tu potessi essere felice insieme a lui. E avevo creduto che non ti importasse di me perché avevi accettato di scrivere quella lettera per la tua amica. Parlando con lei avevo capito subito che eri stata tu, lei non ricordava nemmeno cosa ci fosse scritto.»

«Adam...»

Un passo e mi ritrovai proprio di fronte a lui, che teneva il viso abbassato. Sollevai la mano verso di lui e gli sfiorai la guancia con le dita, tremante.

Alzò nuovamente lo sguardo su di me. Incontrai i suoi occhi azzurri così dolci, così luminosi.

«Poi non sai che io ti amo, treccine. Ma questo speravo di dirtelo a voce...»

«Ti amo anche io, Adam. Anche quando non lo sapevo ancora, io...»

Non ci furono più parole. Mi ritrovai tra le sue braccia. E lì diedi il mio primo vero bacio. Le sue labbra sulle mie mi provocavano una sensazione di estasi, di pace, di abbandono totale. Mentre il mio cuore si ricomponeva davvero, frammento dopo frammento.

E improvvisamente, chi eravamo noi due? Due ragazzi come tanti altri che si baciavano davanti alla scuola in una giornata di settembre, ancora a metà tra l'estate e l'autunno del 1984. Un po' come nella poesia di Prévert, due ragazzi che si amavano *"nell'abbagliante splendore del loro primo amore".*

Non sapevamo ancora cosa ne sarebbe stato di noi, delle nostre vite. Quali sorprese, dolci o amare, il destino avesse in serbo per noi. Sapevamo solo di dover vivere quel momento eterno, quell'amore puro. Desideravamo solo conservarne la traccia per sempre. E speravamo, in cuor nostro, che il sentimento che provavamo l'uno per l'altra si trasformasse nel tempo, evolvesse, crescesse con noi, ma che non ci passasse mai.

L'estate della nostra vita era appena trascorsa. Ora non ci restava che accogliere l'autunno, quel meraviglioso settembre. Che era davvero un po' come

noi, dolce, mutevole, timido ma appassionato. Un po'
come quelle due figure abbracciate sulla copertina del
nostro diario. Un po' come me che nel trascorrere degli
anni e attraverso i mutamenti ero intenzionata a
rimanere, nonostante tutto, "treccine". Una ragazza fuori
moda.

PLAYLIST

Claude Debussy: "Claire de Lune"

Sheena Easton: "Almost over You"

CITAZIONE

Jacques Prévert: "I ragazzi che si amano"

RINGRAZIAMENTI

Innumerevoli sensazioni mi ha provocato la scrittura di questo romanzo. È stato come un tuffo nel passato, nei ricordi. In quelle lettere e in quei diari immaginari che hanno fatto parte della mia esistenza, della mia storia.

Ringrazio le persone che quotidianamente mi incoraggiano ad andare avanti, a scrivere, a impegnarmi sempre di più per fare in modo che le storie assumano una loro consistenza e che i personaggi prendano vita plasmati tra memoria e immaginazione.

Ringrazio Ghostly Whisper Ltd. e i miei correttori di bozze, tanto preziosi per me.

Ringrazio Le Muse – Grafica per lo splendido lavoro, per la pazienza e per essere riuscite a interpretare la mia idea della storia con una cover meravigliosa e dolcissima.

Ringrazio i lettori che mi seguono, mi hanno dato fiducia e hanno apprezzato le mie storie.

Ringrazio la mia famiglia per il sostegno costante e per l'incoraggiamento a non abbandonare mai la scrittura.

Ringrazio i libri della mia infanzia e della mia adolescenza, che mi sono trascinata in giro e che sono diventati parte di me più di ogni altro, resistendo vividi nella mia memoria. In questo caso, *La piccola Fadette* di George Sand.

Ringrazio la musica ispirante, le canzoni, le parole che riportandomi indietro nel tempo hanno dato impulso alla mia fantasia permettendole di rivivere il momento.

Ringrazio, sempre, i luoghi del mondo che mi hanno accolta, le persone che ho incontrato e quelle che sono rimaste nella mia vita.

Ringrazio quegli anni di dolcezza e poesia, quei luoghi, quelle spiagge, quei tramonti, quelle persone (non sono mai solo personaggi) che occupano le mie storie e in un'alternanza di presente e passato le animano permettendo loro di assumere vita propria.

Ringrazio, ancora una volta, chi mi ha scritto lettere di carta che ancora conservo. Mi ripeterò, ma sono sempre più consapevole che sia proprio così. A volte a distanza di tempo si riconosce l'importanza di persone, gesti, parole. E si comprende la differenza tra ciò che si può lasciar scivolare via e ciò che di prezioso si deve conservare e trattenere nel profondo del cuore, per sempre.

Barbara Morgan legge e scrive da sempre. Predilige urban fantasy, horror, distopici e fantascienza ma si avventura spesso in altri generi. Lavora nell'ambito della scrittura, dell'editoria e della moda. Laureata in lingue e letterature straniere, specializzata in letteratura inglese, letteratura americana e letterature comparate, ha vissuto tra Inghilterra, Francia, Italia, Svizzera e Stati Uniti, per poi trasferirsi in Irlanda, dove organizza eventi culturali e book club. Traduce dall'inglese, dal francese e dallo spagnolo.
Ghostly Whisper, la Casa Editrice che ha fondato in Irlanda, è un po' la sua storia.

Website: https://www.barbara-morgan.com

Facebook: https://www.facebook.com/BarbaraMorganAuthor/

Instagram: https://www.instagram.com/barbaramorganbooks/

Twitter: https://twitter.com/BabsiMorgan